Einaudi. Stile Libero Big

www.einaudi.it

ISBN 978-88-06-21732-7

Lorenza Gentile

Teo

Einaudi

Teo

Alla mia famiglia,
ad Alexandre Dumas figlio,
che mi ha persuaso a cominciare questo libro
e a una persona che, con la sua assenza,
mi ha spinto a finirlo.

Io non sono superstizioso.
Semplicemente, non sfido ciò che non conosco.

NAPOLEONE BONAPARTE

Giorno undici

Ancora sabato

Mi chiamo Teo, ho otto anni e voglio incontrare Napoleone.

Ho una battaglia molto importante da vincere e lui è l'unico che mi può aiutare. Per incontrarlo mi tocca morire, però, perché Napoleone è un morto.

Ho fatto una ricerca su Google, che contiene tutte le verità del mondo ed è dentro il computer di mia sorella Matilde.

Lei non lo sa, ma entro spesso in camera sua per cercare su Google risposte alle mie domande. Di solito lo faccio di nascosto, quando è sotto la doccia. Ma solo se lava anche i capelli, altrimenti non ho abbastanza tempo.

È un bel rischio, se mi scopre scoppia il putiferio. Ma a me piace rischiare, soprattutto per le cose importanti.

Incontrare Napoleone importante lo è davvero, piú di qualsiasi altra cosa. E sono fortunato: mia sorella ora è in gita a Pompei, quindi posso prendermi tutto il tempo che voglio.

Se digiti «suicidio» (che vuol dire uccidersi) la prima pagina che viene fuori è quella di Wikipedia. C'è un elenco molto lungo che spiega i metodi piú usati. Ho letto i primi tre per adesso, e nessuno mi convince. Il primo si chiama avvelenamento, ma noi non abbiamo veleno in casa, l'unica cosa che potrei bere sarebbe il profumo della mamma, che però è quasi finito. Il secondo è il taglio delle vene, ma il sangue mi spaventa: urlerei e mi scoprirebbero. Il terzo, il taglio dell'arteria carotide, non va bene perché non riesco a capire cosa sia, l'arteria carotide, anche se su Wikipedia c'è pure il disegno.

Devo continuare a leggere, finché non troverò il metodo giusto per me.

Mancano meno di cinquanta ore alla mia morte. Non ho molto tempo.

Ma io non sono uno stupido.

Sono Teo, e mi sto organizzando da undici giorni.

Giorno uno

Mercoledí

1.

– Sono crude, – ha detto il papà lasciando cadere le posate sul piatto. La forchetta è finita per terra.

– Ringrazia che qualcuno le abbia cucinate, – ha risposto la mamma alzando gli occhi al cielo, come per chiedere l'aiuto di Dio.

– Già. Per una volta che non ha cucinato Susi.

– Ho voluto fare una cosa carina. Mi dispiace tu non sia in grado di apprezzarlo.

– Fossero state commestibili, avrei anche potuto.

– La prossima volta vediamo cosa riesci a fare tu.

– Nel caso non te ne fossi accorta, lavoro tutto il giorno.

– E questo cosa c'entra? Lavoro anche io.

– Scusa, ma organizzare mostre per beneficenza richiede una responsabilità un po' diversa dalla mia. Vuoi che ti racconti cos'è successo oggi in consiglio di amministrazione? Vuoi aiutarmi a prendere una decisione?

– Non direi proprio.

– Appunto.

– Ma che cavolo, non esiste solo il lavoro, Alfonso!

– Non sto certo dicendo questo.

– Ah, no? A me sembra il contrario.

– Ho solo fatto notare che le uova sono crude. Sono stufo di dover combattere su tutto!

– Be', sai cosa ti dico? – ha risposto la mamma spingendo indietro la sedia. – La prossima volta vincila questa battaglia: cucinatele da solo le tue uova.

Si è alzata da tavola lasciando la cena a metà.

– Puoi contarci. Anzi, sai cosa? Lo faccio subito, – ha esclamato il papà prendendo una padella e versandoci dentro dell'olio. Nel metterla sui fornelli, però, se l'è rovesciato tutto addosso. – Ma vaffanculo, – ha urlato guardandosi la camicia macchiata e scaraventando la padella nel lavello. Il piatto che era dentro si è rotto.

Ho guardato mia sorella Matilde. Speravo che mi dicesse qualcosa per farmi forza. Ma lei si è limitata a sussurrare, piú all'aria che a me: – Che famiglia di merda.

I miei genitori in pubblico sorridevano sempre.

Come si fa alle recite della scuola, dove devi fingere di essere un personaggio che non sei.

Era per questo che da fuori molte cose non si capivano, e chi non li conosceva bene non poteva sapere che ormai a casa non si parlavano quasi piú senza alzare la voce, dire parolacce e sbattere le porte.

Non era la prima volta che una cena veniva rovinata da stupidaggini come: «È solo una mostra, Lucrezia! Vuoi che parliamo di quello che sto affrontando io?» «Adesso lavori anche nel weekend? Perché non vai a vivere direttamente in ufficio?» «Le vacanze a Porto Ercole con la tua famiglia mi hanno esasperato!», e cosí via.

Una volta cominciava la mamma, una volta il papà. Non facevano che combattere. E nessuno dei due vinceva, perché vincere vuol dire fare la pace e loro non la facevano mai.

Avrei dato qualsiasi cosa per aiutarli, ma non sapevo proprio come fare.

Cercavo di parlarne con mia sorella Matilde, che andava alle superiori e ne sapeva molto piú di me, ma ogni volta mi rispondeva: «C'è poco da fare, non vanno d'accordo».

Non sapevo se tutte le famiglie erano come la mia.

Era impossibile dirlo perché non conoscevo bene quelle degli altri e quando andavo dai miei compagni i loro papà non c'erano mai.

Quello che sapevo era che esistevano due possibilità: o erano tutti felici tranne noi, oppure anche gli altri facevano come alla recita della scuola.

Ma se pure avessi scoperto che tutti i genitori del mondo litigavano come i miei, non credo proprio che mi sarei sentito meglio.

Mentre finivo l'ultimo boccone, Susi, la mia tata, sparecchiava la tavola.

Il papà e la mamma erano in salotto, sentivo gli insulti che continuavano di là dalla porta. Mia sorella si era chiusa in camera sua, come sempre.

– Mangia la frutta, Teo, – ha detto Susi allungandomi una mela.

Ho scosso la testa, avevo lo stomaco chiuso.

– Teo, no ti devi preoccupare. La vita a volte è un po' cosí difficile, ma vedrai che le cose cambierà.

– Non cambieranno.

– Tutto cambia, Teo. Le cose non rimane mai ferme.

– Vado in camera mia.

– Teo, tu è forte. Inventa tua realtà, sogna. Okay?

– Okay.

Le avevo detto okay per non farla rimanere male, ma a cosa serviva sognare? E come potevo sognare, con tutto quello che succedeva intorno a me? Non riuscivo nemmeno a dormire tranquillo perché avevo paura di svegliarmi la mattina e trovare il papà che sbatteva la porta d'ingresso andando al lavoro tutto arrabbiato. Se anche sognavo che non era cosí, sarebbero cambiate le cose? Non era importante quello che c'era dentro di me, nonostante lo volessi con tutte le mie forze. La verità era che non potevo cambiare le cose perché ero troppo piccolo e nessuno a casa mi ascoltava mai.

Sono andato in camera e mi sono sdraiato sul letto. Ho guardato il soffitto cosí a lungo che a un certo punto mi è sembrato che mi stesse per cadere sulla testa.

La maestra Pia ci aveva spiegato che quando si è tristi bisogna fare qualcosa per distrarsi.

Non avevo voglia di finire i compiti, però, non riuscivo a concentrarmi con le urla, e poi Oliver Twist mi stava antipatico. Non mi andava di leggere tutte quelle pagine su di lui e fare il test del sussidiario.

Ho aperto l'armadio dei giochi, ma erano sempre gli stessi. Non avevo voglia di prenderne nessuno.

Sul ripiano in basso c'era il regalo che mamma e papà mi avevano fatto per il mio compleanno, il giorno prima.

Quando l'avevo scartato mi ero stupito: per una volta erano stati originali.

In genere i regali dei miei genitori erano robe noiose come palloni da calcio o calzini a righe.

Io non giocavo a calcio e non lo guardavo neanche alla tivú come facevano i miei compagni. Le partite erano tutte uguali: o vinceva una squadra o vinceva l'altra. Al limite, erano pari. E il cronista non diceva mai le cose davvero interessanti, tipo: cosa mangiava la gente allo stadio durante l'intervallo? Perché i giocatori avevano i capelli lunghi e portavano il cerchietto?

I calzini, invece, anche se li mettevo, non erano niente di speciale perché li avrei avuti comunque. Era una delusione quando scartavo il pacchetto piccolo e molle che tenevo tra le mani. Speravo di trovarci lo Skifiltor gommoso, che si attacca al muro e lascia una macchia verde vomito.

Ma niente Skifiltor. Il pacchetto piccolo e molle conteneva sempre e solo calzini.

Quest'anno, invece, la mia mamma e il mio papà dovevano essersi sforzati piú del solito.

Quando il giorno prima avevo scartato il pacco quadrato, dentro ci avevo trovato un libro a fumetti. *Le avventure di Napoleone*.

Sulla copertina c'era il disegno di un generale con un buffo cappello a forma di banana, seduto su un cavallo bianco. Leggendo dietro il libro avevo scoperto che era un eroe molto famoso. Sono stato contento di questo regalo, perché a me gli eroi piacciono molto, e anche la storia. I miei se l'erano ricordato.

Adesso che mi dovevo distrarre mi sembrava il momento perfetto per leggerlo. L'ho aperto alla prima pagina.

Sotto la scritta «Introduzione» c'era lo stesso disegno di Napoleone che avevo visto sulla copertina. Una freccia lo indicava dicendo: «L'uomo che vinceva tutte le battaglie».

Era impossibile. Guardando la mia famiglia mi pareva che i grandi di battaglie ne vincessero ben poche, figuriamoci tutte.

Il mio papà, oltre a quella delle uova crude, ne perdeva tante altre. Diceva di aver combattuto tantissimo per ottenere quello che voleva. Ma anche se aveva combattuto, a me non sembrava che avesse proprio quello che desiderava. La sua macchina doveva avere qualche problema perché la cambiava di continuo. Litigava tutti i giorni con la mamma. E non aveva mai tempo per le cose divertenti, come giocare con me a nascondino o aggiustare la mensola di camera mia. La mamma, la piú grande battaglia che perdeva era quella col papà. Lui la criticava spesso e quando lei provava a dirgli che lavorava troppo, sbuffava e si chiudeva nel suo studio. Mia sorella Matilde invece desiderava piú di ogni altra cosa essere la migliore della classe, ma le sue amiche la superavano sempre, anche se stava chiusa in camera a ripassare tutto il giorno.

I grandi erano un po' tutti cosí. Perdevano spesso. E se capitava che vincevano una battaglia, come cambiare lavoro o aspettare un bambino, lo raccontavano diventando rossi e finivano sempre dicendo: «Ma adesso parliamo di te, queste sono sciocchezze».

Era perché erano abituati a perdere che si sentivano strani quando vincevano? O avevano paura che non fosse vero, che fosse un sogno e si potessero svegliare da un momento all'altro?

E se erano tutti cosí, perché questo Napoleone era tanto diverso dagli altri e vinceva sempre?

Sono passato al primo capitolo.

L'infanzia di Napoleone.

Sotto il titolo era disegnata la storia di quando Napoleone, da bambino, ha lasciato la sua casa in Corsica, per andare in Francia a studiare.

Dopo aver salutato i genitori con un fazzoletto bianco, si incamminava da solo, con un sacco sulle spalle, su per una collina.

Sotto il disegno c'era scritto: «1778, Napoleone ha nove anni».

Nove anni?, ho pensato. Cavolo, solo uno piú di me.

Mentre leggevo, sentivo la battaglia dei miei genitori andare avanti in salotto. Mi sarebbe piaciuto tanto poter fare come Goku di *Dragon Ball* e teletrasportarmi da qualche altra parte. Sarei tornato nel passato, quando eravamo ancora felici. Ma non ero come Goku. Mi toccava sentire tutto.

Ho cercato di distrarmi come diceva la maestra Pia e ho continuato a leggere.

«Napoleone va a Parigi perché piú di ogni altra cosa al mondo desidera diventare importante. E ancora non sa cosa il destino ha in serbo per lui...» era scritto nel libro.

Nella vignetta c'era Napoleone, da grande, seduto su un enorme trono, con una corona. Una freccia diceva: «1804. Dopo aver vinto sessanta dure battaglie, Napoleone diventa imperatore».

Il mio papà lo diceva sempre che vincere era la cosa piú importante, nella vita.

«E si combatte solo per ciò che si desidera veramente», mi aveva spiegato una volta.

Io cosa volevo veramente?

Qualche giocattolo in piú? Sí, anche, ma tanto non usavo nemmeno quelli che avevo. Andare meglio a scuola? Certo, ma poi sarei diventato come quella secchiona antipatica di Giulia e mi sarei stancato anche di essere bravo.

C'era una cosa, però, di cui non mi sarei mai stancato.

Vedere la mamma e il papà che si parlavano senza tenere la voce cosí alta che arrivava al soffitto e non dovermi ogni volta chiudere nella mia stanza. Non sentire battere forte il cuore quando il papà picchiava un pugno sul tavolo e non avere sempre paura di dire qualcosa che non andava o di non riuscire a dormire la notte.

Una famiglia almeno un po' felice, questo era quello che volevo piú di ogni altra cosa.

Sapevo che era una battaglia difficile da vincere.

Ma... se ci fosse stato un modo per chiedere a Napoleone come fare? Lui sí che avrebbe potuto aiutarmi.

Dovevo incontrarlo. A qualunque costo.

Sarebbe stata la mia prima battaglia da grande. E avrei salvato i miei genitori!

Ho sbirciato in fondo al libro per capire dov'era adesso, ma sono rimasto molto male: Napoleone era morto nel 1821.

Stavo per rinunciare, quando una vocina dentro di me mi ha sgridato come il grillo parlante di Pinocchio.

«Moccioso pauroso! Guarda che ogni problema ha sempre almeno una soluzione».

Era quello che mi aveva detto una volta la maestra Pia.

Ma a me «moccioso pauroso» non mi doveva chiamare nessuno. Mai. Io ero coraggioso e lo avrei dimostrato.

Va bene. Napoleone era morto, ma non era mica la fine del mondo.

Il mio papà una volta mi aveva raccontato la storia di Orfeo, un musicista che era entrato nell'aldilà per riprendersi la moglie morta.

Se ci era riuscito Orfeo, perché io non avrei potuto?

Questa sí che era una vera battaglia.

Giorno due

Giovedí

2.

– Secondo te dove si trova l'aldilà? – ho chiesto al mio amico Guglielmo.

– Ma che ne so, non sono mica morto, – mi ha risposto lui alzando le spalle.

Il martedí e il giovedí c'era il doposcuola, ma non rimanevano tutti. Eravamo solo in sette, quelli che i genitori non potevano andare a prendere all'una. Io, il Dini, Leonardo, Guglielmo, Giulia, la Bucci e Xian-wei, il nostro compagno cinese.

Io mi trovavo lí per un'ingiustizia. Sarebbe potuta venire Susi, ma la mamma diceva che a casa non avevo niente da fare e tanto valeva che mi avvantaggiassi con i compiti, approfittando dell'aiuto della maestra.

Non sapeva come andavano le cose in realtà. E cioè che la maestra del doposcuola non era una maestra vera come le due della mattina: Pia (che insegnava storia e italiano) e Rossella (matematica, scienze e geografia). Quella del doposcuola era giovane, anche se aveva pochi capelli, e se ne fregava dei compiti. Passava il tempo a leggere il giornale.

La mamma non sapeva nemmeno che il Dini e Leonardo si scambiavano le figurine dei calciatori e Guglielmo invece si metteva le dita nel naso e appiccicava le caccole sotto il banco. E se avesse visto Giulia, be', lasciamo stare. Perfino lei, che era la secchiona della classe, apriva e richiudeva annoiata il suo astuccio delle Winx: ci soffiava dentro, cambiava l'ordine dei pennarelli, appuntava le matite, puliva la gomma su un foglio bianco, lucidava il disegno che c'era sopra con il dito bagnato di saliva. E la Bucci, nel frattempo, non faceva altro che mangiare biscotti pieni di crema.

Di solito io giocavo a tris con Leonardo o sceglievo una lettera e scrivevo un elenco di tutti gli animali che cominciavano con quella lettera.

I piú numerosi erano sotto la C. Il giorno che ho scoperto la chimera mostruosa, sono arrivato a cinquantatre.

Giovedí, però, avevo cose piú importanti per la testa.

Al posto di ascoltare la lezione ho pensato per tutta la mattina a come fare per incontrare Napoleone. Lo desideravo piú di cento confezioni di Skifiltor.

Sapevo che era nell'aldilà. Ma l'aldilà dov'era?

Stavolta ho provato a chiedere a Leonardo.

– Perché lo vuoi sapere? Ti vuoi fare prete?

I miei compagni erano simpatici, ma non capivano proprio niente.

– Teo, – si è intromessa Giulia la perfettina, – lo vedi cosa succede a non stare attento a religione? Innanzitutto, di aldilà ce ne sono *due*: il paradiso e l'inferno. L'inferno è al centro della terra e...

L'inferno e il paradiso, certo! Ne avevo già sentito parlare.

– Guarda che l'inferno non esiste mica piú, – ha detto il Dini, – ora c'è il cimitero.

– Il cimitero! – Tutti sono scoppiati a ridere.

– L'inferno esiste eccome, – ha detto Guglielmo. – Sotto la sabbia. Devi scavare tantissimo per arrivarci e fa cosí caldo che non riesci nemmeno a giocare con il secchiello.

– Sí, fa caldo come in Africa, – ha aggiunto Leonardo, – ci sono i leoni.

– Leoni?! – si è svegliata la Bucci. – L'inferno è un'autostrada lunghissima, piena di macchine.

– Ma che dici? – è scattato su il Dini.

– Sí, – ha fatto lei con aria da saputella, – l'ha detto il mio papà, una volta che eravamo fermi nel traffico, che quello era l'inferno.

A sentire la Bucci tutti sono scoppiati a ridere di nuovo.

Accidenti a me che non ero stato attento a religione!

– Tu cosa dici, Xian? – ha chiesto poi Guglielmo al nostro compagno cinese, che era rimasto zitto per tutto quel tempo, seduto un po' lontano da noi, e scriveva su un foglio.

Era arrivato in classe nostra all'inizio dell'anno e non parlava mai con nessuno. Andava bene solo in matematica, le altre materie non gli importavano. Non aveva mai giocato con noi alla ricreazione, né era mai venuto a una festa. Insomma, era uno strano.

Xian ha alzato la testa, ma non ha detto niente.

– L'inferno, – ha insistito Leonardo, – lo sai cos'è?

– Ma cosa vuoi che ne sappia, lui, è cinese! – ha esclamato la Bucci alzando le spalle.

Tutti hanno riso.

– Uffa, – ha detto Giulia scocciata, – se volete ridere ridete, ma qui stiamo parlando di cose mooolto serie, quindi andatevene da un'altra parte.

Si è girata verso di me: – Innanzitutto, Teo, per arrivare all'inferno non devi scavare perché è in fondo a un dirupo ed è Dio che ti ci butta giú a calci. E poi c'è la sabbia, non l'asfalto, ma mica ti dànno il secchiello. Se sei lí è perché sei stato cattivo, non per giocare. E fa caldissimo, come in una sauna, che è una stanza di legno con dentro il carbone che brucia, dove si chiudono le signore.

Mamma mia, speravo davvero che Napoleone non si trovasse laggiú. Doveva essere piú o meno come Porto Ercole, dove andavamo noi in vacanza. Faceva talmente caldo che appena arrivavi eri già sudato e non smettevi mai di sudare fino a che non partivi, le spiagge ti scottavano i piedi e i ghiaccioli erano sempre finiti.

Ma ormai dovevo vincere la mia battaglia, quindi se fosse stato lí ci sarei dovuto andare anche io. Magari però...

– Il paradiso com'è?

– È bellissimo, – mi ha risposto la Bucci masticando un biscotto. – È sulle nuvole, dove sta Mary Poppins.

Sulle nuvole?

– Ma si può camminare? – le ho domandato.

– Certo, e anche correre, se vuoi.

– E... come ci si arriva?

– Ti ci porta Dio, – ha fatto lei pulendosi la bocca dalle briciole con il palmo della mano, – ti prende da qui, sotto le braccia, e ti solleva in alto fino a là.

Oddio, meglio non soffrire di vertigini.

– Guarda che non è cosí, – si è intromessa Giulia di nuovo, – Dio è troppo occupato. Devi prendere l'aeroplano.

– Io l'ho preso tante volte l'aeroplano, ma mica sono arrivata in paradiso! – ha risposto la Bucci.

– Questo perché il paradiso è mooolto piú alto, – ha spiegato Giulia salendo sulla sedia e allungando le mani verso il soffitto, – è all'ultimo piano del cielo e solo l'aeroplano di Dio può arrivarci.

– Che paura, – ho detto io: mi erano venuti i brividi, – meglio non guardare giú.

– Macché, è bellissimo, – si è esaltato Leonardo.

– E ci puoi andare solo se sei molto fortunato, perché ci sono pochi posti, – ha spiegato il Dini.

– Sí, devi essere in lista, – ha specificato Giulia risedendosi.

– In lista?

Calò il silenzio. Questa, non la sapeva nessuno.

– Ma non ascoltate quando spiega la maestra? – disse lei sbuffando. – Il tuo nome deve essere scritto su una lista che tiene in mano san Pietro. Lui sta all'ingresso davanti al cancello d'oro.

E se Napoleone era lí? Come avrei fatto a entrare?

– Come si fa a essere in lista? – ho chiesto a Giulia, un po' preoccupato.

– Devi piacere a Dio, – ha risposto lei, – perché è lui che la compila, settimanalmente.

– Ma va', – ha fatto la Bucci, cosí per dire qualcosa.

– Certo, – ha urlato Giulia, – come nelle discoteche. Me l'ha detto mia sorella, se non sei in lista non entri.

– Ma guarda, Teo, – ha sussurrato Leonardo prendendomi per una spalla, – che devi essere morto per andarci.

I miei amici non ne sapevano proprio niente delle cose da grandi. Mi è toccato spiegargli che non era vero. Conoscevo uno che ci era stato da vivo, si chiamava Orfeo e faceva il cantante.

– Non è possibile, – Leonardo ha alzato la voce.

– Sí, invece.

– E invece no. Me l'ha detto la mia tata che devi morire per andare in cielo.

– Adesso basta dire sciocchezze, – ci ha sgridati Giulia, – se lui lo conosce, forse è cosí. Comunque non è questa la cosa importante, quello che conta è che devi essere buono per andarci. Se sei cattivo, finisci giú all'inferno.

– Cosa vuol dire esattamente essere buono o...

– Ma insomma, Teo, che te ne importa? Son robe da vecchi! – mi ha interrotto Leonardo. – Andiamo in cortile a giocare.

Non ha fatto in tempo a finire la frase, che i miei compagni si erano già distratti e sembravano essersi dimenticati completamente del discorso. Dopo aver chiesto il permesso dell'insegnante, in un secondo erano già tutti fuori dalla classe.

– Allora vieni? – mi ha domandato Guglielmo affacciandosi alla porta.

– No, devo finire qui, – ho risposto prendendo in mano il mio diario.

– Tu c'hai qualche rotella fuori posto, – ha fatto lui sparendo in corridoio.

Mi sono trovato solo con il nostro compagno cinese, che faceva calcoli su un foglio e non si era mai distratto.

Ho aperto il quaderno di storia e ho compilato uno schema con le informazioni importanti:

> INFERNO: Cattivo - A calci giú dal dirupo - Muori di caldo - Forse giochi con la sabbia, forse ti chiudono in una macchina - C'è posto quindi accettano chiunque.
>
> PARADISO: Buono e fortunato - Per arrivarci prendi l'aereo di Dio - Bello se non soffri di vertigini - Devi essere in lista come in discoteca.

La questione era: che cosa vuol dire *esattamente* essere buoni o cattivi?

Se non facevi copiare gli altri, come Giulia, eri buono perché seguivi quello che diceva la maestra o eri cattivo perché non aiutavi i tuoi compagni? Se curavi i bambini degli altri e non i tuoi, come Susi, eri buono perché cosí mandavi i soldi a casa o eri cattivo perché stavi lontano dalla tua famiglia? E Napoleone, era stato buono o cattivo?

Mi sembrava che non si era mai solo una cosa, ma un po' di tutto.

Di sicuro ci sarà un modo per capirlo, pensavo mentre mettevo i libri nello zaino.

E io dovevo trovarlo.

3.

– Amore, come stai? – mi ha chiesto la mamma appena entrata.

Reggeva cinque sacchi della spesa, ed ero pronto a giurare che in nessuno ci fossero i cornetti Algida o almeno un Kinder Cereali.

Prima ancora che riuscissi a risponderle è sgusciata in cucina, veloce come il mamba, un serpente che ho visto una volta in un documentario del National Geographic.

L'ho seguita. L'avevo aspettata quaranta minuti seduto vicino alla porta d'ingresso per poterle parlare. Che sfortuna che fosse tornata con la spesa! Ci voleva sempre un sacco di tempo per sistemarla. Sono rimasto in piedi vicino alla porta.

– Dunque, Susi, – ha detto alla tata dopo aver messo tutto in ordine, – prendi una penna e vieni qui.

Proprio quando stavo per farle la mia domanda! Sfortuna doppia: era giovedí, il giorno in cui preparavano il menu della settimana e sceglievano quasi sempre i piatti preferiti della mamma.

– Come vuole signora, – diceva Susi, facendo sí con la testa.

Quando hanno finito, la mamma ha attaccato il foglio al frigo con la mia calamita di Winnie Pooh.

– Mamma, ti devo parlare, – le ho detto allora, cercando di imitare il tono che usavano i grandi quando volevano farsi ascoltare.

Lei si è chinata, mi ha accarezzato la testa e mi ha detto: – Scendo tra poco, devo fare una cosa.

Poi è salita in camera sua, dove io l'ho seguita.

Ha mollato la borsa e un sacchetto della farmacia sulla sedia vicino all'armadio, si è legata i capelli con un elastico, ha levato le scarpe restando a fatica in equilibrio su un tacco solo. Si è sbottonata il golf, sfilata i collant bucati, infilata un altro paio di collant. Ha ripreso il sacchetto della farmacia. Ha tirato fuori una scatola di medicine. L'ha aperta e si è messa a leggere le istruzioni.

Uff.

Sapevo che non voleva mai essere disturbata quando leggeva perché le faceva perdere il filo.

Mia madre riusciva a fare solo una cosa per volta. E ogni tanto nemmeno quella, come per esempio montare gli armadi, trovare il canale del National Geographic, usare il nuovo computer di mia sorella.

La lettura delle istruzioni sembrava andare per le lunghe. Il foglietto non era come quello delle pasticche per la gola. Era un papiro degli antichi Egizi.

– Mamma, posso farti una domanda?

– Un attimo solo, Teo, – ha risposto lei, continuando a leggere.

Ho aspettato un altro po', ma non finiva mai.

Mi sono fatto coraggio e l'ho interrotta di nuovo. D'altra parte, era la mia battaglia.

– Mamma, se uno è bravo a scuola, ma non fa copiare i suoi compagni, è buono o cattivo?

Lei non ha sentito, era molto concentrata. Allora l'ho ripetuto. Con i grandi bisognava sempre insistere.

– Ogni sei ore. Dunque se comincio adesso, le due, tre, quattro, cinque, sei, sette, otto... Prima dei pasti... Metto la sveglia alle due...

– Eh?

– Scusa, Teo, un attimo, – ha detto guardando il soffitto e bisbigliando altri numeri alla rinfusa.

Non credo dicesse a me, perché io mica ci capivo niente di quelle cose lí, e l'aldilà non era fatto di numeri.

Mia mamma parlava da sola.

Mi sono preoccupato quando l'ho vista sedersi sul letto, mettersi gli occhiali, avvicinare il naso al foglietto e accendere la luce del comodino. Secondo i miei calcoli, ne aveva ancora per qualche ora.

Ho provato a ripetere la mia domanda per la terza volta.

Dopo avere fatto un sospiro, ha alzato gli occhi dal papiro a me.

– Lo so che hai da fare, mamma, – le ho detto, – ma devo sapere cosa vuol dire esattamente essere buono.

– Tesoro, ne possiamo parlare piú tardi? Dopo rispondo a tutte le domande che vuoi.

Ed era di nuovo col naso sul foglietto.

Cosa avrebbe fatto Napoleone al mio posto? Bisognava pensare a un piano per attirare la sua attenzione. Perché il fatto era che aspettare, in quel caso, non era una buona idea. Avrebbe potuto farmi aspettare anche all'infinito.

Ecco! Era una strategia vecchia, ma funzionava sempre.

– Vorrei sapere cosa vuol dire esattamente essere buono o essere cattivo, – piccola pausa, breve respiro, raccolgo coraggio, la butto lí senza senso, – merda.

Ha alzato subito la testa dal papiro.

– Non si dicono le parolacce! Teo!

Piccola battaglia vinta. Finalmente avevo la sua attenzione.

– Credi che andrò all'inferno se dico le parolacce?

– Questo è sicuro.

– Va be', tanto a me il caldo non mi dà fastidio come a te.

– Teo, tu andrai in paradiso perché sei un bambino.
– E tu dove andrai?
– Spero in paradiso anch'io, – ha detto lei, che stava per tornare alle istruzioni.
Dovevo inventarmi qualcosa, e presto.
– E allora perché litighi sempre col papà?
Silenzio.
Azzeccata.
Ha fatto un altro sospiro, piú profondo di prima. Si è levata gli occhiali e si è passata le dita sulla faccia.
– Io e papà discutiamo, – ha detto, – è normale, in una famiglia.
– Anche se litighi o offendi qualcuno puoi essere buono?
– Non si dovrebbe fare, ma a volte succede. Tutti sbagliamo, – ha detto con un fil di voce, – ma per fortuna Dio ci perdona.
– Lui ti perdona sempre?
– Se ti confessi e sei sincero, sí.
– E tu quando ti confessi sei sincera?
È rimasta zitta, fissava la parete.
– Mamma, quando ti confessi sei sincera?
Nessuna risposta.
Va bene, ormai lo sapevo. Quando faceva cosí era meglio non insistere.

4.

Dopo cena la mamma e il papà si sono seduti sul divano del salotto per guardare *Chi l'ha visto?* Andava in onda di mercoledí. La sera prima, però, se l'erano perso per colpa della loro litigata. Quindi ora lo guardavano in replay sul sito della Rai.

Seguivano *Chi l'ha visto?* da anni, perché secondo me li faceva sentire un po' investigatori.

Era uno dei pochi momenti in cui i miei genitori non litigavano, anzi, insieme provavano a indovinare la soluzione dei misteri. E se alla fine veniva trovato qualcuno che era sparito, erano contenti come se lo conoscessero bene.

C'era poco da essere felici, però, perché di solito i ritrovati o erano morti o erano ragazzi scappati di casa perché i genitori erano stati cattivi con loro. Per questo a me non piaceva guardare *Chi l'ha visto?*

I miei genitori conoscevano gli scomparsi per nome. A volte quando eravamo in macchina, la mamma diceva d'un tratto cose tipo: «Scusa, ma quello... Alfonso? Alfonso! Guarda un po' quel tizio là... Lo vedi, coi pantaloni gialli... Mica è Oliviero di *Chi l'ha visto?*»

Il papà rallentava e con gli occhi fuori dalle orbite fissavano un povero ragazzo che camminava per strada mangiandosi un panino. Dopo averlo superato, dicevano: «Non era lui! Oliviero ha gli occhi verdi».

Quella sera erano seduti sul divano, uno accanto all'altra, ed era impossibile interromperli o fare domande, cosí me ne sono andato in camera mia.

In quello che mi aveva detto la mamma c'era qualcosa che non tornava. Aveva spiegato che si finiva all'inferno se si dicevano le parolacce, eppure lei e il papà a volte le dicevano, e di quelle terribili, che non avrei potuto nemmeno ripetere.

E non lo facevano solo loro. Tutti gli adulti le dicevano.

Le avevo sentite anche da Susi quando le si era bruciata la torta salata nel forno («Accidenti!»), da mia sorella Matilde mercoledí a cena («Che famiglia di merda!»), dalla maestra Pia un giorno che parlava col marito fuori da scuola («Dino! Occupatene tu, santiddio!») e una volta le avevo sentite anche da Giulia quando l'avevano interrogata («Stupida che sono!») e si era dimenticata di studiare i pronomi («Stupida cretina!»). Pensava che nessuno la sentisse, perché parlava a bassa voce, ma io avevo indovinato leggendole le labbra.

Forse era per questo che le persone non amavano discutere dell'aldilà. Avevano paura di finire all'inferno per tutte le parolacce che dicevano.

Chi lo poteva sapere se Napoleone aveva detto parolacce?

Io non ce lo vedevo: era uno elegante, con la giubba di velluto blu e il suo cappello a forma di banana.

E se anche gli erano scappate, come potevo scoprire se si era confessato prima di morire?

Comunque, seduto sul tappeto, ho aggiunto al mio schema:

INFERNO: Dici parolacce e NON ti confessi.

PARADISO: Dici parolacce e TI confessi.

Avevo già fatto progressi.
Per quel giorno potevo andare a letto tranquillo.

Giorno tre

Venerdí

5.

Ero rimasto seduto tutto il pomeriggio sul pavimento davanti alla porta di casa e avevo letto *L'assedio di Tolone* nel mio libro su Napoleone.

«Siamo nel 1793», era scritto all'inizio della pagina.
C'era il disegno di un golfo pieno di navi con sopra dei cannoni. Una freccia indicava le navi e diceva: «Inghilterra». Un'altra la costa e diceva: «Tolone, Francia».
Napoleone era in piedi sulla terraferma e guardava il mare con un cannocchiale. Sopra il cappello aveva scritto: «Capo di artiglieria». Dietro di lui c'era l'esercito francese.
«Siamo finiti! – gli diceva un soldato. – I nostri cannoni sono troppo lontani dalle navi».
«Prendiamo quella piccola torre, – rispondeva Napoleone, indicando una torre che affacciava sul golfo, proprio davanti alle navi. – Attaccheremo da là!»
Sul campo di battaglia era scoppiata una terribile tempesta, ma Napoleone faceva segno ai soldati di seguirlo e cavalcava verso la torre sfidando i lampi e i fulmini.
Grazie a lui, i francesi riuscivano a prendere la torre, vincendo la battaglia di Tolone.

– Papà! – ho urlato sentendo la chiave girare nella serratura. – Papà, devo farti una domanda!

Lui ha lasciato cadere la ventiquattrore a terra.

– Prima di tutto si saluta, Teo, quando qualcuno entra in casa, – mi ha risposto sfilandosi il cappotto.

– Ciao papà. Devo chiederti una cosa, posso?

– Un attimo, non vedi che sono appena arrivato? – mi ha detto con un mezzo sorriso.

Mio padre non sorrideva quasi mai con un sorriso intero.

È andato in cucina, l'ho seguito.

Ha salutato Susi, ha aperto il frigo, ha tirato su la manica della camicia per non sporcarsi con il ragú che Susi preparava ogni venerdí per la domenica, ha infilato la mano nel frigo e ha tirato fuori una bottiglia di vino bianco.

– Papà, è importante, – gli ho detto mentre cercava nel cassetto.

Non trovava il cavatappi.

– Me lo dici ogni volta, che è importante.

Cominciava a spazientirsi (col cavatappi, non con me. Spero).

– Cosí perdi credibilità. Per diventare un vero uomo cosa devi fare?

– Usare il cervello, – ho risposto a colpo sicuro.

Le sue domande, al contrario delle mie, erano sempre le stesse, quindi le risposte erano facilissime.

Usare il cervello. Ho pensato in fretta alla strategia per farmi ascoltare. Forse ce l'avevo: potevo attaccarlo. Come aveva fatto Napoleone a Tolone.

Ho preso coraggio e l'ho guardato dritto negli occhi.

– Papà, dov'è adesso Napoleone?

– Allora ti piace il libro che ti abbiamo regalato! Lo stai leggendo?

– Sí. Voglio conoscere Napoleone, gli devo chiedere una cosa.

Il papà aveva trovato il cavatappi. Ha aperto la bottiglia e si è versato un bicchiere di vino.

– Che cosa?

– Devo...

Ma poi mi sono fermato. Non potevo raccontargli il mio piano, doveva essere un segreto.

– Non te lo posso dire, papà. Mi potresti spiegare dov'è?

L'ho seguito in salotto. Si è seduto sul divano e ha acceso la tivú.

– È morto, Teo, – mi ha detto cercando un canale della Rai. – Non lo puoi incontrare.

– Ma come?! Sei stato tu a raccontarmi di Orfeo, che è andato nell'aldilà per riprendersi la moglie!

– Sí, ma quella era l'antica Grecia. Ora è diverso.

– Quindi se la mamma morisse oggi, tu come faresti?

– Teo, – mi ha detto severo, – non devi pensare a queste cose.

– Ma non te la andresti a riprendere?

– Lasciami guardare il telegiornale, ora. Ne parliamo in un altro momento.

Mi diceva sempre che vedere il telegiornale era importante per diventare un uomo che si rispetti, perché bisognava essere colti e informati per non farsi fregare dagli altri. Non ho insistito, sarebbe stato inutile.

Ma non mi sono dato per vinto, mi serviva solo un piano migliore.

Potevo fare il gioco del destino. Me lo aveva insegnato la nonna quando ero piccolo. Se hai bisogno di una risposta, mi diceva sempre, prendi un libro che ti piace e apri una pagina a caso, magari la trovi lí.

Ho preso il mio libro di Napoleone.

«Nel 1796, – diceva una scritta all'inizio del capitolo, – Napoleone deve conquistare l'Italia, che è dominata dagli austriaci».

I soldati del suo esercito erano deboli e giú di morale.

«Non riusciremo mai a vincere», diceva un soldato.

«Impossibile», diceva un altro.

«Abbiamo perso», un altro ancora.

Gli austriaci erano disegnati in fondo a montagne altissime, le Alpi, che dividevano la Francia dall'Italia. Loro erano sul lato dell'Italia, mentre i francesi sul lato opposto.

«Non possiamo attraversare le Alpi, – ha detto un vecchio generale, – sono ghiacciate».

«Ho un'idea, – ha esclamato Napoleone. – Se non possiamo attraversarle, le aggireremo».

Nella vignetta dopo facevano il giro intorno alle montagne e attaccavano i nemici a sorpresa, durante la notte.

Li avevano aggirati!

Sotto, una scritta diceva: «È cosí che Napoleone ha vinto la prima battaglia in Italia».

Aggirare, che idea. Mia nonna ne sapeva una piú del diavolo.

L'ora migliore per parlare col papà era prima di andare a letto. Veniva sempre a darmi la buonanotte e se aveva tempo mi leggeva una storia dal libro dei miti greci che conservava da quando era piccolo.

Ho appoggiato il mio libro su Napoleone per terra. Se non riuscivo a dormire, potevo leggere quello. Poi ho spento la luce e ho acceso la lampada scacciafantasmi che tengo sul comodino. È una lampada speciale che mi protegge se mi sveglio da un incubo. In quel momento è entrato il papà.

– Papà, – gli ho detto appena ha aperto la porta, – ieri ho fatto un brutto sogno e ho paura.

– I sogni non sono mica cose vere.

– Susi dice sempre che sono piú vere della realtà.

– Susi appartiene a una cultura diversa dalla nostra. A volte è difficile capire cosa voglia dire realmente.

– Ma papà, era un sogno bruttissimo.

– Cosa hai sognato?

– Bussavo alla porta del paradiso. E san Pietro, che eri tu, non apriva. Anzi, mi dava un calcio giú da un dirupo e finivo all'inferno. Ho fatto qualcosa di male?

– Ma no, cosa te lo fa pensare?

Sembrava colpito.

Aggirato!

– Ho paura dell'inferno. Come faccio a essere sicuro di non andarci? Forse se mi spieghi come si fa ad andare in paradiso mi addormento...

– Teo, ma quali paure! Non ti devi preoccupare di queste cose, – ha detto il papà passandosi una mano tra i capelli. – Devi pensare al futuro, devi prepararti a vincere le tue battaglie. Non devi essere un fifone. I fifoni finiscono male. Non vorrai mica diventare un barbone. Lo sai chi sono i barboni?

– I barboni?

– Sono quegli uomini che stanno per strada, seduti per terra, perché non hanno il coraggio di combattere e si bevono pure i pochi soldi che gli vengono regalati.

– Come fanno a bersi i soldi?

Li scioglievano nell'acqua? O mandavano giú le monete una a una, come faceva la mamma con le pastiglie? E soprattutto, *perché* se li bevevano?

– È un modo di dire, Teo. Comunque, non è importante. L'importante è che tu cominci a pensare a cosa desideri per il tuo futuro. A quale lavoro vuoi fare, alla casa che vuoi avere...

– Tu pensavi a queste cose da piccolo?

– Io ho sempre saputo quello che volevo fare, sai.

– Volevi litigare cosí tanto con la mamma?

Il papà mi ha guardato serio. Poi si è alzato lisciandosi le pieghe dei pantaloni e ha fatto due passi indietro.

– Ci sono cose che ancora non puoi capire. Ne parleremo quando sarai cresciuto.

– Ma...

– Adesso basta, – ha detto alzando un po' la voce. – È ora di dormire.

– Solo che magari posso aiutarvi.

– Teo, ci puoi aiutare facendo il bravo e stando al tuo posto, – ha detto aprendo la porta. – Segui l'esempio di Matilde.

Poi è uscito, lasciandomi solo.

6.

Sono sgattaiolato fuori da camera mia per parlare con Matilde. Avrei chiesto a lei cosa voleva dire esattamente essere buono e magari alle superiori le avevano anche spiegato dove si trovava Napoleone. La porta della sua stanza era socchiusa. Ho buttato un occhio per vedere cosa stava facendo.

Era in piedi davanti allo specchio e teneva il metro della mamma stretto intorno alla vita. Aveva una faccia che sembrava quella del cercopiteco dalla coda dorata, una nuova specie di scimmia che hanno scoperto in Africa. L'avevo vista nel documentario del National Geographic. Mi era rimasta impressa un po' per il nome e un po' perché Matilde le assomigliava in modo pazzesco.

Nel documentario ce n'era una piccolina. Aveva abbandonato la foglia di fico che stava mangiando per guardare la telecamera con aria stupita. Matilde, mentre si specchiava col metro intorno all'ombelico, era proprio uguale a lei. Solo, un po' piú alta e senza la coda.

Lei e le sue amiche facevano proprio cose strane!

Si pitturavano le unghie di fucsia, si mettevano i pantaloni che gli si vedeva il sedere quando si piegavano, si facevano i piercing, si truccavano gli occhi di nero, si arrotolavano dentro il metro della mamma.

Ho aperto la porta e mi sono avvicinato. Appena si è accorta che ero dietro di lei, ha cacciato un urlo. Forte.

Ancora piú di quello della mamma quando si svegliava la domenica mattina e mi trovava a guardarla in piedi vicino al letto.

– Che ci fai ancora sveglio? – ha detto tutta rossa e un po' arrabbiata, nascondendo il metro dietro la schiena.

Forse stava facendo qualcosa di segreto?

Magari non era il caso di rompere. Se mi avesse tirato il suo dizionario di latino in testa? L'aveva già fatto una volta e mi era rimasto il bernoccolo per tutto il pomeriggio.

Stavo per andarmene, la mano sulla maniglia, quando ho pensato: massí, proviamoci. Al diavolo il dizionario.

Cercando di avere un tono il piú simpatico possibile, le ho chiesto: – Conosci Napoleone?

Mi ha guardato come se fossi un marziano verde, di quelli che si vedono nei film come E. T.

– Ma che razza di domanda è? Vattene subito dalla mia stanza!

Okay, non aveva funzionato.

Essere simpatici o antipatici con mia sorella era la stessa cosa. Lei non notava la differenza. Ti fissava sempre e comunque come se fossi un alieno. Non so se ero solo io a farle quell'effetto, ma con me si comportava sempre cosí.

Doveva venirmi in mente un'altra idea.

Visto che con le buone non avrei ottenuto niente, forse tanto valeva provare con le cattive: – Se non me lo dici, dirò alla mamma che hai rubato il suo metro per...

– Stronzo.

Ma si era subito calmata. Meno male, perché non lo avevo mica capito io, cosa ci stava facendo con quel metro.

Tornando al suo colore naturale, ha detto: – Tutti conoscono Napoleone. Ora dimmi cosa vuoi sapere e vattene di qua!

– Dove pensi che sia adesso?

– Sei scemo? È morto.

– Uffa, questo lo so già! Ma voglio sapere dove si trova in questo momento...

– Mhmmh!

Era proprio l'urletto del piccolo cercopiteco dalla coda dorata quando gli rubavano la foglia di fico.

– Dipende dalla religione.

Ha arrotolato il metro su sé stesso. L'ha appoggiato sul tavolo e si è messa una felpa che aveva una macchia di sugo sul cappuccio. Non gliel'ho detto.

– Come, dalla religione?

– Ci sono varie teorie. Per i cattolici, si va all'inferno o in paradiso, ma per i buddhisti, per esempio, ci si reincarna. Per gli atei, quelli che non credono in Dio, non c'è niente.

– Come, niente?

– Nulla, zero, vuoto.

– E per i buddhisti ti rein*che*?

– Lascia perdere.

Si è seduta alla scrivania.

Era un chiaro segnale che stava per mandarmi fuori.

Ho insistito: – Ci sono teorie diverse? Cioè se sei cattolico vai in paradiso, se sei buddhista ti rein*qualcosa*, insomma quello?

Ha sbuffato e ha preso il dizionario di latino.

Adesso me lo lancia, ho pensato.

– Mi lasci stare? – ha detto invece, voltandomi le spalle.

Stavo per richiudere la porta dietro di me, quando ho sentito: – Noi siamo cattolici, quindi per andare in paradiso dobbiamo seguire i dieci comandamenti. Ora, aria.

Mia sorella non era cattiva. Era solo molto nervosa e un po' antipatica.

Chissà dove sarebbe finita da morta. Forse se eri antipatico ma buono potevi essere accolto in paradiso. L'ho sperato per lei, che odiava il caldo.

– E quali sono i dieci comandamenti?
– Ma non ti insegnano queste cose al catechismo?
– No. Giochiamo a rubabandiera.
– Be', allora prenditi una Bibbia e leggi, no?
La Bibbia!
Quella sí che era una buona idea.

Prima di andare a letto ho preso il quaderno di storia e ho migliorato il mio schema dell'aldilà con un po' di aggiunte:

CATTOLICI

INFERNO: NON segui i dieci comandamenti.
PARADISO: SEGUI i dieci comandamenti.

BUDDHISTI

Incartazione/incartamento (o qualcosa del genere).

ATEI

Zero, nulla, vuoto (ma forse mia sorella mi prendeva in giro).

Giorno quattro

Sabato

7.

Adoravo il sabato mattina.

Aveva l'aria di vacanza perché non c'era scuola ma non bisognava neanche andare a messa. Di solito mi svegliavo tardi e potevo restare in pigiama fino all'ora di pranzo.

Questa volta però alle otto ero già in piedi. Dopo aver fatto colazione con i Pan di Stelle e il latte col Nesquik sono andato in salotto per cercare la Bibbia.

Non era un compito facile.

Di libri ne avevamo tantissimi, in quattro grosse librerie, e non erano in ordine alfabetico.

Un sabato mattina come quello la mamma aveva provato a ordinarli. Li aveva tirati giú tutti, impilandoli sul pavimento. Non si poteva piú camminare in salotto da quanti ce n'erano.

Si era messa gli occhiali e aveva cominciato a raggrupparli, in base alle lettere dei cognomi. Era di ottimo umore. Canticchiava canzoni che io non conoscevo e si muoveva a ritmo di musica.

Mi aveva detto: «Vedrai che bello!»

Dopo qualche ora, però, non la sentivo piú cantare. Sono tornato per controllare se era ancora viva. Uno poteva morire di un colpo al cuore all'improvviso, mi aveva detto una volta Matilde.

L'avevo trovata accasciata contro il divano, impolverata e senza neanche la forza di parlare. I libri erano ancora quasi tutti sul pavimento. Aveva lanciato una raccolta di poesie contro il muro, e si era sdraiata per terra.

Le ho detto ti aiuto io, ma lei non ha voluto. Si è alzata di scatto e ha rimesso tutti i libri sulle mensole a caso. Alcuni anche al rovescio.

«Chi se ne frega, – aveva le lacrime agli occhi, – non me ne importa proprio un accidente».

Non mi ricordo se si è fatta la doccia o è uscita cosí, tutta coperta di polvere.

Immaginavo la Bibbia grande e facilmente riconoscibile, ma avevo cercato in ogni scaffale e non l'avevo trovata. Ci avevo riprovato. Niente. Di libri grandi ce n'erano solo quattro: uno di fotografie in bianco e nero, due di cucina e uno di mobili.

Stavo per perdere la speranza quando, invece, l'ho vista. Era in cima alla libreria in fondo che, come le altre, arrivava fino al soffitto e aveva sette ripiani. Non riuscivo neanche a toccare il quinto con la punta delle dita. Attento a non fare rumore, sono andato a prendere una sedia in sala da pranzo. Se la mamma mi vedeva che ci salivo in piedi, non mi faceva mangiare gelati per un mese. Per fortuna, dormiva come un ghiro.

In piedi sulla sedia, non arrivavo oltre il sesto scaffale.

Ma se spostavo il divano contro la libreria e salivo sul bracciolo, forse potevo farcela.

Ci ho provato. Si incastrava di continuo nel tappeto peloso che stava sotto, quello che teniamo in salotto d'inverno. Mi ci è voluto un sacco di tempo.

Il mio orologio segnava le nove e quaranta. Alle dieci suonava la sveglia dei miei genitori, come ogni sabato mattina.

Dovevo fare presto.

Sono salito in equilibrio sul divano, reggendomi con una mano alla libreria, che ha iniziato a dondolare. Ero finalmente all'altezza giusta.

In quel momento, però, ho sentito una porta che si apriva.

Ho afferrato la Bibbia con la mano libera. Pesava una tonnellata.

Un altro rumore. Stava arrivando qualcuno.

L'ho buttata sul divano e ho fatto un salto.

Poi ho cercato di spingere il divano contro il muro: si era incastrato di nuovo nel tappeto. Ho tirato il tappeto, che si è strappato.

Ma il divano si è mosso.

L'ho rimesso al suo posto e mi sono seduto sulla parte rotta del tappeto.

Ho aperto la Bibbia e incrociato le gambe, proprio quando la porta si è aperta.

– Teo.

– Sí, papà, – ho detto con la voce piú angelica che potevo.

– Che ci fai seduto davanti alla libreria con la Bibbia in mano?

– Sto leggendo i comandamenti.

– E perché mai?

Tenere un segreto non è per niente facile, ma la mia battaglia era troppo importante.

– Per l'ora di religione.

– Hai tutto il giorno, per farlo. Vieni a fare colazione con me.

– Ho già bevuto il Nesquik. Comunque adesso arrivo.

È andato in cucina e io ho cominciato a leggere:

In principio Dio creò il cielo e la terra. La terra era informe e deserta e le tenebre ricoprivano l'abisso e lo spirito di Dio aleggiava sulle acque.

Dio disse: «Sia la luce!» E la luce fu. Dio vide che la luce era cosa buona e Dio separò la luce dalle tenebre. Dio chiamò la luce giorno, mentre chiamò le tenebre notte. E fu sera e fu mattina: giorno primo.

Dio disse: «Sia un firmamento in mezzo alle acque per separare le acque dalle acque». Dio fece il firmamento e separò le acque che sono sotto il firmamento dalle acque che sono sopra il firmamento. E cosí avvenne. Dio chiamò il firmamento cielo. E fu sera e fu mattina: secondo giorno.

Sí, va be', ma se continuava di quel passo quando ci arrivava ai comandamenti?

Dio disse: «Le acque che sono sotto il cielo si raccolgano in un unico... in un unico... luogo e appaia... app... a... i... a... l'asciut...»

Quando il papà mi ha svegliato, avevo la faccia incollata al libro, la pagina era tutta impiastricciata di saliva e mi si era addormentato un braccio.

La Bibbia era davvero troppo noiosa. E non c'era neanche un indice per scoprire qual era il capitolo sui comandamenti.

Dovevo trovare qualcuno che l'aveva già letta.

Mi serviva un cattolico.

8.

Ho chiesto alla mamma se aveva mai letto la Bibbia. Lei ha risposto: – Quando ero ragazzina.

Che voleva dire no.

Questo genere di risposte non le dava certo solo lei. Le avevo sentite spesso dai grandi. Quando gli domandavano: «L'hai letto questo libro?» oppure: «L'hai visto questo film?», loro avevano due tipi di risposte per dire di no:

1. «Sí, tanti anni fa».
2. «Il nome mi dice qualcosa».

In tutti e due i casi, non avevano idea di che cosa si stava parlando. Cosí, però, non potevano piú fare domande, perché stavano facendo finta di sapere tutto, e non imparavano niente.

Gli adulti si comportavano quasi tutti come la mamma. Io non le ho detto niente, per non farla rimanere male, ma avevo capito che, anche se andava a messa tutte le domeniche, non era una Cattolica Vera.

Se tutti gli adulti facevano come lei, però, cercare un Cattolico Vero non era facile. Chi me lo diceva che la catechista, per esempio, aveva letto davvero la Bibbia?

La soluzione mi è venuta in mente proprio quando avevo perso la speranza. Devo dire che un po' me ne vergogno, perché era abbastanza logico.

Mi conveniva chiedere a Dio direttamente.

Dio sí che conosceva la Bibbia. L'aveva scritta lui!

Anzi, visto che il mondo era suo e sapeva tutto, potevo non chiedergli dei comandamenti, ma passare subito alla domanda piú importante: dov'è Napoleone?

Ero un po' preoccupato, però. Di solito quando dicevo la preghierina prima di dormire, lui non rispondeva mai. Forse era perché non gli facevo nessuna domanda?

Quella sera avrei provato a fargliene una, magari era quello il trucco.

Oppure potevo andare in chiesa, perché la chiesa era la sua casa, diceva sempre la mamma.

Però come facevo a sapere in quale chiesa viveva?

Questa religione dei cattolici era davvero complicata.

Dalle storie che mi aveva raccontato il papà, mi sembrava che per gli antichi Greci era molto piú semplice. Innanzitutto ogni dio aveva il suo tempio, abitava lí, e non ci si poteva sbagliare. I Greci arrivavano a testa bassa, bussavano al portone, e lui li faceva entrare sempre, senza mai farli aspettare. Là dentro potevano chiedergli consigli, sposarsi con le madri e dare fuoco alle sorelle se gli stavano antipatiche. Se volevi qualcosa, il dio scendeva dal trono e ti ascoltava. Se eri buono, ti rispondeva. A volte dovevi uccidere un agnellino che poi si mangiava per cena. Se gli piaceva, ti aiutava. Se no, ti lanciava un fulmine. In fondo, anche cosí non avevi piú problemi.

Essere cattivo voleva dire disubbidire agli dèi, essere buono aver vinto le Olimpiadi.

Molto facile.

Esistevano anche uomini che non morivano mai: gli immortali. E uomini che morivano, ma solo a metà: i mezzi immortali. Loro erano dèi ma non del tutto. Spesso figli di un dio e di una donna normale, o di una dea e di un uomo normale.

In effetti, ora che ci pensavo bene, per i Greci era ancora piú complicato! Perché, se eri un mezzo immortale, quale parte di te moriva?

Forse quella di sotto e ti trasformavi in un satiro, cioè un uomo con le zampe di una capra. O forse, semplicemente, la parte di sotto si addormentava e finivi a letto tutto il giorno, perché non potevi piú camminare.

Se doveva morirti una metà, di certo non poteva farlo quella di sopra. Perché quando ti muore il cuore ti muore tutto, mentre se succede alle gambe puoi restare ancora vivo.

Insomma, essere figli di un dio e di una donna normale non conveniva affatto.

Meglio morire tutti interi.

Anche il dio dei cattolici aveva un figlio, Gesú, che aveva fatto con una donna normale, Maria. Ma allora perché non era morto a metà?

Dovevo assolutamente parlare con Dio.

Per fortuna il giorno dopo era domenica, e la domenica lui è ben disposto.

Giorno cinque

Domenica

9.

«È il 1798 e a Parigi c'è una grande festa».

Il disegno di Napoleone che stava sotto quelle parole era il piú bello che avevo visto fino a quel momento. La sua divisa era ricoperta di medaglie. Aveva lanciato il cappello sopra la folla che gli stava intorno. Tutti i soldati lo guardavano a testa alta, sembravano orgogliosi di far parte del suo esercito. «Dopo molte dure battaglie, – diceva il fumetto, – hanno conquistato l'Italia».

Avevo approfittato per leggere qualche pagina visto che mi ero svegliato alle sei. La sera prima mi ero addormentato a metà della preghierina, quindi non avevo potuto fare le domande a Dio, ma tanto stavo per andare a messa, potevo fargliele lí. Ero molto emozionato.

Ho insistito con la mamma per arrivare prima di tutti. Pensavo che un'ora e mezza poteva andare bene.

Dio sarebbe stato lí ad aspettare e cosí gli avrei fatto anche compagnia. Lei però non ha voluto, diceva che con Dio ci potevo parlare anche durante la messa.

Ma Dio non aveva da fare durante la messa?

Era stata lei a insegnarmi che non si disturbano le persone impegnate, eppure non c'era stato modo di farla ragionare. Aveva deciso che saremmo arrivati solo dieci minuti in anticipo. Dentro di me ho sperato che, essendo lui un Dio, riuscisse a fare tante cose allo stesso tempo, al contrario della mamma.

Prima di uscire Matilde ha fatto una storia che non finiva piú per non venire, dicendo che doveva studiare, ma i miei genitori non le hanno permesso di rimanere a casa. Andare alla messa della domenica era una delle regole della nostra famiglia: nessuno ne aveva mai voglia, ma ci si andava comunque.

La nostra chiesa era molto piccola.

La mamma l'aveva scelta perché ci potevamo arrivare a piedi.

Non ero sicuro che Dio abitasse lí.

Non ci potevo giurare, ma immaginavo che fosse molto grande. Sicuramente superava i quattro metri e aveva le spalle larghe come la macchina del papà.

Forse viveva nel duomo. Lí sí che avrebbe avuto tutto lo spazio necessario, e avrebbe potuto perfino attaccarsi al soffitto e penzolare a testa in giú, se si annoiava, come facevo io a Porto Ercole, quando mi aggrappavo alla pertica di casa.

Nella nostra piccola chiesa, con tutta quella gente seduta che la riempiva, come avrebbe fatto ad attaccarsi al soffitto senza tirarci calci in testa?

La messa non era ancora cominciata. Accanto a me, mia sorella giocava con il cellulare pensando che nessuno la vedesse. La mamma leggeva il foglietto delle preghiere per avvantaggiarsi. Il papà guardava nel vuoto. Intorno a noi, erano seduti quelli della parrocchia.

Si conoscevano tutti e a volte organizzavano cene e gite in campagna, ad Assisi. Io non ero mai andato, perché erano per i ragazzi grandi come Matilde, ma mi era toccata la recita di Natale l'anno scorso, dove mi avevano fatto fare l'albero.

Mentre aspettavamo che la messa cominciasse e ci scaldavamo le mani soffiando sulle dita, ho iniziato a cercare

Dio. Con gli occhi, perché la mamma mi aveva vietato di andare in giro.

Nel tragitto verso la chiesa mi aveva avvertito che era invisibile.

«Se è invisibile come faccio a vederlo?» le avevo chiesto.

«Non lo puoi vedere, ma lo puoi sentire».

Adesso che stava per cominciare la messa, ho aperto bene le orecchie e mi sono messo in ascolto.

Niente.

Ho detto alla mamma: – Non lo sento! Dici che non è ancora arrivato?

– *Shhh*, Teo. È cominciata la messa.

Neanche me n'ero accorto.

A quel punto Dio ci doveva essere per forza, perché tutti lo pregavano e magari gli dicevano anche i loro peccati. I peccati erano quelle cose che non si dovevano fare, ma si facevano lo stesso. Quando li raccontavi al prete, ti stavi confessando. Come aveva detto la mamma, se in confessione eri sincero, Dio ti perdonava. Io non mi ero mai confessato, ma pensavo, come faceva il prete a sapere se eri sincero? Magari ti perdonava e poi Dio non era d'accordo. In fondo il prete poteva essere buono con tutti solo per andare in paradiso, mentre Dio non aveva bisogno di barare, perché lui in paradiso c'era già.

Durante la messa ho continuato a tenere le orecchie bene aperte, ma Dio non l'ho sentito parlare neanche un po'.

L'ho chiamato col pensiero, ma non ha risposto. L'ho chiamato di nuovo. Se con i grandi bisognava sempre insistere, figuriamoci con lui.

Non ha risposto neanche la seconda volta.

Né la terza.

Né la quarta.

Né la quinta.

Insomma, Dio non c'era.

Eravamo nella chiesa sbagliata.

Quando siamo usciti, ho detto alla mamma: – Dio non c'era, perché io non l'ho sentito!

– Io non intendevo sentire con le orecchie, Teo. Sentire nel senso di...

– Di?

– Lui manda segni della sua presenza. Devi saper leggere i segni.

– Cosa sono i segni?

In quel momento però aveva incontrato la mamma di Giulia, che io non sopporto, perché è una perfettina come sua figlia. Per fortuna Giulia era già andata via con la sorella. Quando le nostre mamme cominciavano a chiacchierare, non la smettevano piú. Mi sono guardato intorno in cerca del papà e di Matilde, ma erano spariti. Facevano sempre cosí, appena finita la messa filavano a casa alla velocità della luce.

Mi toccava aspettare. Ma lo facevo volentieri.

Quella cosa dei segni era troppo importante.

10.

Hanno chiacchierato per una mezz'ora abbondante. Lo sapevo grazie al metodo per misurare il tempo che uso quando mi dimentico l'orologio. Bisogna stare in piedi perché funzioni:

Fastidio alle gambe: 15 minuti
Formicolio: 20 minuti
Male alle ginocchia: 30 minuti
Testa che gira: oltre 1 ora

Avevo male alle ginocchia.

La mamma raccontava alla sua amica che aveva deciso di regalarsi un quadro fatto da un pittore francese, che aveva conosciuto a una festa nella galleria in cui lavorava.

Diceva che il pittore stava diventando importante, aveva fatto anche un ritratto a una nipote della regina d'Inghilterra. Secondo lei, quindi, ne valeva la pena, anche se costava molti soldi (che tanto erano del papà, questo non l'ha detto ma lo so io).

Il pittore arrivava mercoledí e alloggiava in una «pensioncina» che gli aveva prenotato lei, giusto dietro casa nostra.

Discutevano di cosa doveva indossare e che sfondo scegliere. Poi la mamma di Giulia ha detto ridendo: – Non sarà mica geloso, tuo marito?

La mamma le ha risposto che partiva per lavoro.

– Sarà una sorpresa, – ha detto a me, che la stavo guardando.

Un quadro gigante della mamma vestita da sera. Non sapevo se il mio papà ne sarebbe stato cosí contento. Io come sorpresa avrei preferito andare al cinema o mangiare la pizza davanti alla tivú. Comunque ho promesso di stare zitto, le sorprese non si rovinano mai.

– Andiamo? – le ho detto però.

Non mi ha risposto, ma ha salutato la mamma di Giulia: – Sentiamoci per telefono.

– Ciao Teo! – ha fatto lei.

Tornando verso casa, la mamma mi ha spiegato che Dio era invisibile, ma mandava segni a noi umani, cosí che potevamo accorgerci della sua presenza.

– I segni sono delle cose fuori dalla norma, ma che succedono. Un fulmine a ciel sereno, una goccia di pioggia quando c'è il sole, una telefonata inaspettata, una notizia improvvisa... Ci possono essere infiniti segni. I segni sono legati alle circostanze, e bisogna saperli leggere.

– Che vuol dire circostanze?

– Circostanza vuol dire situazione. Ad esempio, se tu chiedi a Dio: devo partire per l'India o non è il momento?, e dopo poco vedi alla televisione una brutta notizia sull'India, tipo che è scoppiata una guerra, è un segno che non ci devi andare. Se invece inciampi in una valigia, devi farlo. E cosí via.

Avevo capito. Quando facevo una domanda a Dio, lui mi rispondeva con un segno.

Subito dopo pranzo, però, la mamma ha voluto che la accompagnassi a un mercatino, perciò non ho potuto fare la domanda concentrato in camera mia. Mi è toccato farla per strada. Ho approfittato del semaforo rosso in fondo al viale di casa nostra: ho chiuso gli occhi (tanto al verde avrebbe fatto un suono che serviva per avvertire i ciechi) e ho sussurrato a Dio: – Dov'è Napoleone, e come faccio a raggiungerlo?

Le domande erano due, in realtà, ma speravo che non se ne accorgesse.

Il mercatino era noioso. Era pieno di vecchi che vendevano mobili vecchi, e non c'era neanche il chiosco dei pop-corn.

L'unica cosa interessante erano dei soldatini abbastanza alti con l'uniforme inglese.

– Le guardie della regina, – ha detto la negoziante, che era poco piú alta di me e tutta rugosa.

Me ne aveva fatto prendere uno in mano passandomelo con le sue dita striminzite. Ho chiesto alla mamma se potevamo comprarle, le guardie della regina, ci sarebbero state bene in salotto. Ma lei dopo aver scoperto il prezzo ha fatto un passo indietro e mi ha tirato per la mano. Ha detto: – Ci pensiamo su –. Significava no.

Forse era un segno di Dio per dire che Napoleone era in Inghilterra? O un segno per spiegarmi che all'entrata dell'inferno c'erano le guardie inglesi? Mah.

Questa cosa dei segni mi sembrava tutt'a un tratto complicata.

Dopo avere camminato per un po', ci siamo fermati alla bancarella piú bella di tutte. Era molto grande, con un tendone a righe bianche e verdi, e vendeva mobili ammaccati. Il commerciante era un uomo con dei baffoni enormi, come quelli dei russi dello *Schiaccianoci*. Era riuscito a vendere alla mamma una credenza mezza rotta e avevano discusso venti minuti (non avevo l'orologio, ma mi formicolava tutto) su come aggiustarla.

Io mi chiedevo, perché non se ne comprava una nuova piuttosto? Ma quando facevo quel tipo di domande, la mamma mi lanciava sempre l'occhiata Teo-non-puoi-capire. E infatti non capivo.

Ha comprato anche un annaffiatoio arrugginito.

– Ma ce l'abbiamo già un annaffiatoio, – le ho detto.

A volte lo usavo per bagnare i vestiti eleganti che ero obbligato a mettere per andare a trovare la nonna all'ospedale per vecchi. Erano ridicoli e cosí avevo una scusa per indossare qualcos'altro.

Mi ha spiegato che questo era diverso e che lo avrebbe tenuto in salotto.

– Perché un annaffiatoio in salotto?

– Perché... è cosí... per bellezza.

Mia madre aveva un'idea di bellezza tutta sua.

Non era la prima volta che addobbava il salotto in modo strano. Un giorno, tornato da scuola, avevo trovato una testa di toro appesa alla parete.

Ce l'avevamo ancora.

11.

Alle quattro eravamo già a casa. Quel pomeriggio mia sorella è stata nella sua stanza a studiare. Mia mamma ha passato il tempo a cambiare posto all'annaffiatoio. Mio papà guardava la partita. Susi il weekend andava sempre da sua cugina. E io ho continuato a leggere il mio libro.

Napoleone era un generale e poteva stare al sicuro nella sua tenda, invece lottava in prima fila insieme ai soldati, rischiando la vita. Una volta, attraversando un ponte, era perfino caduto giú e, se un cavaliere non avesse allungato una mano per aiutarlo, non si sarebbe salvato. Era molto coraggioso. Nel libro c'era scritto che lo faceva per dare il buon esempio ai soldati e far vedere che non si sentiva superiore.

Era come se la maestra Rossella, al posto di finire i cruciverba della «Settimana Enigmistica», facesse la verifica di matematica insieme a noi. Come se alla mia festa di compleanno la mamma giocasse a nascondino con me e i miei compagni invece di parlare con Susi.

I grandi intorno a me non capivano queste cose. Sembrava che, a fare quello che facevano i bambini, si sentivano un po' stupidi. Ma nascondino non era mica un gioco da stupidi, anzi. Dovevi usare la testa per trovarti il nascondiglio migliore, e quando cercavi dovevi avere piú di cento occhi. I miei genitori non ci sapevano piú giocare. Vincevo sempre io. Loro non erano mai abbastanza concentrati, pensavano a cose che non erano lí.

Napoleone non pensava ad altro quando era in guerra. Doveva stare attento a non farsi uccidere, non poteva distrarsi. Forse era per questo che aveva vinto tutte le battaglie?

A cena abbiamo mangiato la pasta con il ragú e c'era un gran silenzio.

Sembrava una cena di muti e io in una casa di muti non mi trovavo tanto bene.

La mamma lanciava brutte occhiate al papà, che fissava il piatto. Dovevano avere bisticciato. Forse era passata troppe volte davanti alla televisione per spostare l'annaffiatoio. Lo mandava in bestia se lo disturbavi quando c'era la partita.

Anche mia sorella Matilde stava zitta, mentre toglieva le olive dal pesce. Non sembrava piacerle neppure il pesce, lo schiacciava con la forchetta. Ne ha mangiato solo un boccone.

Sentivo un peso dentro la pancia. La lancetta rossa dell'orologio batteva i secondi, *tic-tic-tic*.

– Papà, – ho detto per rompere quel silenzio terribile, – sai che Napo...

– Mangia, Teo –. Matilde mi ha dato una gomitata.

Lui non ha nemmeno alzato la testa per guardarmi.

– Sí, ma volevo dire che Napoleone...

– Su, Teo, fa' il bravo, – ha fatto la mamma.

– Ma perché dobbiamo stare sempre zitti?

– Non capisci proprio niente, – mi è saltata sopra mia sorella. – Non ti rendi conto? Sei un cretino, Teo, non fai altro che peggiorare la situazione.

– Adesso basta! – ci ha sgridati il papà.

Si è alzato e se n'è andato senza finire di mangiare.

– Vi odio –. Matilde è scoppiata a piangere. – Vi odio tutti.

Poi si è alzata facendo cadere la sedia.
– È meglio se vai in camera tua, Teo, – ha mormorato la mamma, che era rimasta a tavola da sola.

Sentivo un vuoto enorme, da qualche parte dentro, come se avessi fame di aria, e tanti aghi sulla faccia che pungevano. Stringevo i denti e la fronte per non piangere. Era un trucco vecchio come il mondo, che funzionava sempre.

Ma quella volta non ha funzionato. Ho fatto giusto in tempo a correre anche io in camera e sono scoppiato a piangere come un bambino piccolo. Ho chiuso la porta e mi sono buttato sul letto.

Aveva ragione Matilde? Era davvero colpa mia se si litigava sempre a casa, perché non sapevo stare zitto? Cos'è che dovevo capire e non avevo capito?

Ho acceso la lampada scacciafantasmi e mi sono messo a leggere il mio libro su Napoleone. Ormai era l'unico, lui, che sapeva tenermi un po' di compagnia.

Giorno sei

Lunedí

12.

L'angolo della copertina del libro mi si era ficcato in una guancia.

Era rimasto un buchetto, che non andava via nemmeno se lo strofinavo con la mano. Avevo anche stropicciato una pagina. L'ho stesa, ho chiuso il libro e ci ho messo sopra la lampada, cosí sarebbe tornata a posto.

Fuori dalle coperte faceva un freddo polare. Ci ho messo un po' di tempo a uscire dal letto. Ma la mamma chiamava. Ho preso coraggio e mi sono vestito.

Alla prima ora avevamo la verifica di matematica.

La maestra Rossella ha distribuito i compiti uno a uno. Non potevamo guardare finché non li avevamo ricevuti tutti. Poi ha annunciato, come si fa a teatro: – Piccole bestiole della classe terza A, è finalmente arrivato il momento di dimostrare le conoscenze di matematica che avete accumulato negli ultimi tre anni di fatica e di sudore...

Ha fatto una lunga pausa a effetto, tenendoci tutti con il fiato sospeso, la matita immobile sopra il foglio. Poi ha continuato, stringendo il pugno in aria: – Mi raccomando, dateci dentro, fatemi vedere cosa siete in grado di fare. Pronti? – ha detto aspettando che le lancette dell'orologio appeso dietro la cattedra toccassero le nove. – Via!

Poteva andare molto bene, visto che avevo Giulia davanti. Ma quella perfettina non mi ha permesso di copiare.

– Copiando non impari nulla, Teo. Devi studiare se vuoi capire la matematica, – mi ha detto.

Come se mi importasse di capirla. Io volevo solo un bel voto, per una volta! Ma lei si è messa davanti al quaderno con la testa e ha coperto i numeri con la mano.

– Guarda che lo faccio per te, eh, – ha pure avuto il coraggio di aggiungere.

L'altro che prendeva sempre ottimo in matematica era Xian-wei, il cinesino. Ma il suo banco era troppo lontano per chiedergli di copiare, e poi non parlava mai con nessuno.

Ho dovuto fare la verifica da solo. Io che di matematica non ne sapevo nulla! Le operazioni non mi tornavano mai, mi avanzava sempre qualche cosa nelle divisioni, sbagliavo il risultato nelle moltiplicazioni, superavo mille nelle addizioni e finivo a zero in tutte le sottrazioni.

Era di sicuro una maledizione.

Dopo venti minuti Xian si è alzato e ha consegnato il compito. Giulia l'ha consegnato dopo un'altra mezz'ora. E poi tutti, uno a uno, sono andati alla cattedra a dare il quaderno alla maestra. Io sono stato l'ultimo, perché ci ho voluto provare fino in fondo, ma non ero per niente sicuro di esserci riuscito.

Forse Matilde aveva ragione quando diceva che ero un cretino.

All'intervallo parlavano tutti della festa di compleanno di Guglielmo, che sarebbe stata di lí a qualche giorno. Perfino le bambine, che di solito giocavano a campana, si erano riunite con gli altri. Io non sapevo ancora se sarei andato, perché avrei potuto essere da Napoleone, se Dio mi mandava un segno per farmi sapere dov'era, ma ho detto lo stesso di sí, per non farlo rimanere male.

L'unico che non era stato invitato anche questa volta era Xian-wei, ma a lui non sembrava importare tanto. Fissava l'ingresso della scuola farfugliando qualcosa tra sé e sé.

Al posto suo neanche io sarei rimasto male, le feste non erano mai troppo divertenti, si facevano solo i giochi che decidevano i grandi o si inventavano scherzi per le femmine. L'unica cosa per cui sarei stato male è che alle feste si invitano gli amici, e lui, a pensarci bene, in classe non ne aveva nemmeno uno.

13.

– Fai bei sogni, Teo, – mi ha detto la mia tata rimboccandomi le coperte cosí strette che facevo fatica a respirare.

– Susi, tu conosci Napoleone?

– Napolione? Sí.

– Sai che ha vinto tutte le battaglie?

– Molto speciale, Napolione. Ma tu anche speciale. Tu può diventare come lui.

– Seee!

– Davvero.

– E come faccio?

– Tu ora dormi, Teo. Le risposte a volte le trova nei sogni.

– Ma i sogni non sono veri, l'ha detto anche papà.

– Teo, sogno è piú vero della realtà, perché è dentro di te, è tuo.

Susi era un po' matta.

Come si faceva a trovare le risposte nei sogni che non ci si capiva mai niente, tutto poteva succedere, e le cose cambiavano di continuo? Io spesso sognavo mostri con la faccia della maestra Rossella o draghi con lingue di fuoco. Una notte avevo sognato anche che combattevo contro mia sorella su un campo di battaglia e lei, dopo avermi infilzato con la spada, mi diceva: «Ti voglio bene, Teo». Ma Matilde non mi voleva mica tanto bene nella realtà. Solo a volte.

Allora, in quel sogno, che risposta avrebbe dovuto esserci?

Susi ha spento la mia lampada scacciafantasmi ed è uscita.

Dio non mi aveva ancora mandato nessun segno.

Forse era vecchio e non ci stava piú tanto con la testa.

Come la nonna, che ormai non si ricordava piú nulla. Ogni volta che la andavo a trovare all'ospedale per vecchi mi diceva: «Ciao, chi sei?»

Io rispondevo: «Sono Teo, nonna».

«Teo chi?»

Le spiegavo che ero suo nipote, quello a cui faceva un regalo quando riceveva la pagella.

Lei non capiva.

Allora provavo a pensare a cose che non poteva avere dimenticato. Il sabato pomeriggio a casa sua, quando avevamo preparato la torta con lo zucchero a velo. L'estate che avevo fatto il bagno nel lago vestito. Le storie che mi raccontava per addormentarmi nel weekend...

Mi guardava con gli occhi sempre un po' bagnati, e appoggiava la mano magra sulla mia.

«Io non ho figli, bambino, è impossibile che tu sia mio nipote».

Una volta la mamma le ha fatto vedere le fotografie del suo matrimonio. Lei ha detto: «Ma che bella ragazza che si è fatta tua sorella». Un'altra, quelle di Natale: «Ma cos'avevano tutte queste persone da esser felici?» «Tutte queste persone siamo noi, mamma». «Noi chi?»

Non sapevo se Dio era messo cosí. Ma se si era dimenticato del mondo perché non gli era piaciuto, chi gli avrebbe fatto vedere le fotografie?

A noi cosa sarebbe accaduto?

Chi ci avrebbe mandato i segni?

Giorno sette

Martedí

14.

Al suono della campanella siamo corsi fuori dal portone spingendoci e pestandoci i piedi. Molte mamme aspettavano nel cortile, alcune con i fratellini piú piccoli per mano o in carrozzina.

La mia tata era appoggiata al cancello, scriveva sul cellulare. Il cappello rosa coi brillantini, il suo preferito, le stava cascando all'indietro.

Quando mi sono avvicinato, ho visto Xian in piedi davanti a lei. La stava fissando. Appena sono arrivato però è scappato via dicendo: – È un numero periodico!

Quello era tutto strano.

Ho avuto paura che Susi si fosse offesa. Ma lei ha detto: – Simpatico, – poi mi ha preso per mano e mi ha trascinato via.

– Come sta, Teo, bene?

– Sí. Tu?

Non eravamo in tanti quelli che andavano via con la tata. Nella maggior parte dei casi c'era la mamma. O la nonna, come per Guglielmo e Leonardo, o la sorella, come per Giulia.

Il Dini invece non lo veniva a prendere nessuno. Doveva camminare da solo fino in fondo alla strada e girare a destra, attraversare un viale, prendere la via dopo il semaforo e continuare un altro po' fino ad arrivare dal parrucchiere dove lavorava la sua mamma. Passava lí tutto il pomeriggio, tra le signore e le riviste di gossip (che vuol dire pettegolezzi), e doveva arrangiarsi come poteva per fare i compiti con tutto quel rumore di phon.

Insomma, ognuno aveva i suoi problemi.

Io avevo Susi al posto della mamma, per esempio, e dovevo prendere la metropolitana, che era sempre affollata.

– C'è la mamma a casa? – ho domandato mentre scendevamo le scale mobili.

– No. No c'è, – ha risposto Susi levandosi il cappello e togliendolo anche a me.

– Matilde?

Abbiamo superato la barriera per entrare. Avrei preferito che mia sorella non ci fosse. Dopo la nostra litigata non ci parlavamo piú.

– Matilde è in gita.

È vero, quel giorno mia sorella partiva per Pompei con la sua classe. Quando eri grande e andavi alle superiori ti portavano in gita per periodi lunghi come quattro giorni, dormivi in albergo e tiravi i gavettoni giú dalla finestra. Che fortuna! Forse domenica, quando sarebbe tornata, avrebbe dimenticato che l'avevo fatta arrabbiare e sarebbe stata di nuovo un po' mia amica.

Alla fine delle scale mobili ho saltato, se te ne dimentichi è pericoloso, rischi di inciampare. Io salto sempre a piedi uniti, e faccio le gare con me stesso su quanto lontano riesco ad arrivare ogni volta.

Dovevamo aspettare quattro minuti prima che arrivasse il treno. Le panchine erano tutte occupate. In un angolo, vicino alle scale, c'era un uomo seduto per terra. L'avevo visto altre volte, era quasi sempre lí. Aveva i capelli molto spettinati e lo sporco sotto le unghie.

Ho ripensato a quello che mi aveva detto il papà: doveva essere un barbone.

Volevo andare a chiederglielo, ma mi faceva un po' paura.

Davanti aveva un cartello:

UNA MONETA CHE A VOI NON SERVE
PER ME SIGNIFICA UN PRANZO.

Qualcuno gli buttava uno spicciolo nel bicchiere, ma pochi a dire la verità. Forse gli altri lo sapevano, che se li sarebbe bevuti.

– Buona giornata, – ringraziava lui.

Mi sono girato di nuovo verso Susi e ho visto che mancavano ancora due minuti.

Ho provato a ripetere la tabellina dell'otto, visto che non ero ancora riuscito a impararla, ma non la ricordavo e di contare con le dita, come i bambini piccoli, non ne avevo proprio voglia. Susi guardava il megaschermo. L'avevano montato qualche mese prima, per quelli che aspettavano sul binario, ma mandava in onda solo il telegiornale. Non era molto interessante.

Ho approfittato per chiederle: – Susi, cosa succede quando si muore?

– Nasci qualche altra cosa. Non esiste davvero quella morte.

– Ma come?

– È ciclo di vita, Teo.

Era arrivata la metropolitana. Abbiamo aspettato che scendessero tutti e siamo saliti. Mi sono trovato incastrato tra due uomini in giacca e cravatta che parlavano di diete e una signora un po' grassa che raccontava al marito del lavoro. Facevo fatica a respirare. Ogni volta che la signora si muoveva, mi tirava giú la cartella dalla spalla e me la dovevo rimettere a posto.

Sopra la mia testa c'era una pubblicità che diceva:

IMPARA L'INGLESE SENZA PRETESE.

Ma che voleva dire?

Il mondo era pieno di frasi che non si capivano, come quella che aveva appena detto Susi. Non potevo non farle altre domande.

Quando siamo scesi, le ho chiesto: – Come, non esiste la morte?

– No. Tu nasci qualcos'altro. È un ciclo, – ha risposto salendo le scale. Ci siamo rimessi la sciarpa e il cappello.

Dovevo quasi correre per starle dietro, camminava molto veloce.

– Cosa vuol dire che nasci qualcos'altro? Cosa nasci?

– Dipende cosa tu ha fatto in vita tua, prima.

– In che senso?

– Se tu è stato buono, nasce uomo. Se è stato cattivo, nasce qualcosa di brutto, che no può parlare.

– Come un papavero o un sasso?

Ha fatto sí con la testa e mentre infilava le chiavi nella serratura ha aggiunto: – Poi difficile tornare uomo.

Ero molto confuso.

Se aveva ragione Susi, non solo dovevo capire dov'era finito Napoleone, ma anche in cosa si era trasformato.

Era un piccione, un bancomat, una pannocchia?

O forse era stato una pannocchia e adesso era un telefono?

Che problema enorme.

Se aveva ragione lei, tutti quelli con cui parlavo erano dei morti, tutte le cose che mi circondavano erano morte e dovevo essere un morto anche io. Ma io mica mi sentivo morto!

Le pannocchie, le lavastoviglie e pure gli uomini non sapevano di essere dei morti e non avevano idea di chi erano prima.

Come avrei fatto a sapere chi di loro era Napoleone?

Susi non era un po' matta, era matta completa.

E mi sa che alla fine Dio era davvero messo come la nonna, perché continuava a non mandarmi neanche un segno.

Non ci capivo piú niente.

Il ciclo? La trasformazione? Erano robe da streghe, quelle! Forse Susi era una strega e faceva gli incantesimi e trasformava la gente in rospi, lattughe o pipistrelli!

Poteva essere un'associazione di stregoni, quella del riciclo! Una setta come il Ku Klux Klan.

Dovevo indagare meglio, ma mai fidarmi fino in fondo o guardarla dritto negli occhi, perché poteva ipnotizzarmi e fare di me quello che voleva, tipo tagliarmi a pezzi e darmi in pasto ai pescecani.

15.

A cena eravamo solo io e la mamma e abbiamo mangiato presto, perché lei doveva andare a teatro. Mi aveva detto che il papà la passava a prendere dopo il lavoro, che il teatro era un modo per fare la pace. Era emozionata, perché non ci andavano spesso e aveva messo il suo vestito piú bello, quello blu lungo fino ai piedi, e le scarpe col tacco. I capelli stavano un po' dietro le orecchie per far vedere gli orecchini di perle.

Era proprio bella.

Ha mangiato il risotto lentamente e a piccoli bocconi per non sporcarsi. Appena finito si è alzata per lavarsi i denti e ripassarsi il rossetto. Poi mi ha messo a letto e ha spento la luce. Anche se era presto non ho fatto storie, perché se i miei genitori facevano la pace allora andava tutto a posto.

Non riuscivo ad addormentarmi. Ero troppo felice.

Ero cosí felice che non mi sono accorto subito che la mia battaglia era finita.

Ho guardato il libro, Napoleone mi ha sorriso dalla copertina.

Non ero sicuro di poter dire di aver vinto, visto che non era stato proprio merito mio. Ci ho pensato su un po' e ho deciso che non avevo né vinto né perso.

Che ingiustizia, mi sono detto.

Avrei dovuto trovare qualcos'altro per cui combattere.

Però prima mi meritavo una vacanza. Anche se non ero arrivato in fondo alla mia battaglia, era stato comunque faticoso!

Ho guardato l'orologio: erano le nove e mezza. La mamma doveva essere già uscita. Allora mi sono detto, Vado a vedere la tivú. La vacanza per eccellenza (cioè la migliore) era proprio guardare la tivú.

Ho aperto la porta attento a non fare rumore. Se Susi mi sentiva mi rispediva a letto in un batter d'occhio. Sono uscito in punta di piedi, ho saltato il pezzetto di parquet che scricchiolava a metà corridoio e sono arrivato in salotto.

Lí, però, ho trovato la mamma!

Stava immobile, davanti alla tivú senza volume, con il suo bel vestito blu. Non era andata a teatro? E dov'era papà?

– Mamma...

Lei ha fatto schioccare la lingua fissando il vuoto.

– Dimmi, Teo...

– Ma... Non torna papà?

È stata in silenzio per molto tempo senza rispondermi.

Poi ha detto: – Ha avuto una cena, all'improvviso.

Oh no, ho pensato, altro che vacanza.

La mamma e il papà avevano ancora bisogno di me. La mia battaglia non era affatto finita.

C'erano tante cose che potevo dirle, ma non mi sembrava il caso di parlare. Ho aspettato un momento in piedi accanto a lei. Non sapevo cosa fare. Forse preferiva stare sola. E se invece voleva compagnia?

– Vieni qua.

Ho fatto il giro del divano e mi sono seduto. Le ho messo le braccia intorno al collo. A vederla cosí, coi tacchi e i gioielli, sola davanti alla tivú, mi sono sentito piccolo piccolo.

Mi ha guardato e ha fatto un mezzo sorriso, come quelli del papà.

– Ti voglio bene, sai, – mi ha detto. – Qualsiasi cosa succeda. Ricordatelo.

In quel momento le è scesa una lacrima. Una lacrima lunga, giú sulla guancia. E poi sono diventate tante lacrime, una di fila all'altra.

– Non crescere mai, Teo, – mi ha sussurrato.

L'ho stretta ancora di piú e ho appoggiato la testa sul suo cuore.

Era cosí che si consolavano le persone.

16.

Ho fatto un sogno molto strano, quella notte: parlavo con una zucchina.

Era sdraiata sul tavolo della cucina, sopra un tagliere colorato. Mi guardava con l'espressione che avevano il cercopiteco dalla coda dorata e mia sorella Matilde quando si specchiava.

Eppure non aveva occhi. E nemmeno la bocca, ma poteva parlare. Nei sogni succede cosí.

Cercavo di farle delle domande, ma rispondeva con frasi corte come quelle di Susi. Era pure un po' scontrosa.

Quando le ho chiesto se per caso sapeva che cos'era prima di diventare zucchina, mi ha risposto: – Ma che cosa credi? Sono zucchina da generazioni e me ne vanto, baby.

– Sei un po' nervosa, sai.

La zucchina si è tirata su.

– Ah sí? Ah sí, eh? Nervosa... Be', tu dimmi, bambino, come ti sentiresti *tu* se ti stessero per cucinare? Acqua bollente uguale addio, *au revoir*, finita, stecchita, morta.

– Dipende se so dove andrò a finire.

– Ah. Per quello, io sono sicura, – ha detto lei con la stessa aria da so-tutto-io che aveva Giulia.

Forse quella zucchina era una nostra antenata? Per questo somigliava a Matilde? O era un parente morto di Giulia? O magari poteva essere Napoleone trasformato in una verdura, come mi aveva detto Susi?

Boh.

– Lo so dove andrò, – ha continuato, – è il dolore prima della morte che mi preoccupa. Le mani umide che ti stringono e ti lasciano cadere nella pentola; gli schizzi che corrodono la buccia; l'acqua bollente che ti fa affondare. Uh! Oppure la lama del frullatore, una velocità, due velocità, tre velocità. Uh! Per non parlare del soffocamento da spazzatura. Hai in mente la tragedia, baby? Hai in mente che cosa vuol dire morire soffocati dalla puzza?

Era tutta sudata.

Povera zucchina.

Ho provato a consolarla, ma lei mi ha interrotto.

– Ovviamente, – ha fatto rialzando la testa, – sono una signora zucchina di tutto rispetto. Cosa credi, baby? Quindi niente spazzatura, una come me qualcuno se la mangerà. Sarò un bocconcino favoloso, e regalerò un pezzetto di felicità prima di volare in paradiso.

– Paradiso?

– Hai sentito bene: paradiso. D'altra parte, me lo merito. Ho sopportato il dolore quando mi hanno strappata dal terreno dove ero cresciuta; sono sopravvissuta quando mi hanno tappata dentro un camion senza un filo d'aria; ho sopportato i frigoriferi senza fiatare; ho accettato il prezzo al quale mi hanno venduta; e soprattutto non ho *mai* ucciso nessuno, nonostante abbia sentito *spesso* il bisogno di farlo, soprattutto con i carciofi. Verdure senza cuore...

Il suo discorso non faceva una piega. Ma se qualcuno se la fosse mangiata di nuovo, lassú?

Gliel'ho chiesto.

– In paradiso non ci sono uomini, cosa credi? Nessuno mi può mangiare. Gli uomini finiscono tutti all'inferno, perché uccidono a destra e a manca e si pappano i morti.

Stavo per risponderle, ma proprio in quel momento è

arrivata Susi, si è gettata sulla zucchina con il coltello bianco di ceramica e l'ha tagliata senza pietà.

– Susi, che fai?

Lei non ha battuto ciglio e ha continuato a torturare quella poveretta.

– Teo, è il ciclo di vita.

– Macché ciclo e ciclo! – ho urlato.

Troppo tardi. Alla zucchina erano cresciute due ali di farfalla, colorate come il tagliere, ed era volata via.

Neanche ho potuto chiederle se era sicura di non essere Napoleone.

Giorno otto

Ancora mercoledí

17.

A colazione ho raccontato a Susi il mio sogno. Lei ha detto che forse voleva dire qualcosa. Cosa, però? Le ho chiesto di aiutarmi, ma lei ha risposto che solo io potevo capire cosa c'era dentro di me, e che dovevo farlo da solo.

Ci ho provato, ma non riuscivo a capire se era un segno di Dio per dirmi che Susi diventerà una zucchina quando morirà, o che Napoleone è all'inferno perché mangiava verdure, o che sono un assassino ogni volta che butto qualcosa nella spazzatura.

Ci ho rinunciato.

Quella mattina ho portato a scuola il mio libro.

L'ho aperto sulle ginocchia. Ho appoggiato le braccia sul banco, cosí ho potuto leggere senza essere visto dalla maestra Rossella, che spiegava la sua noiosissima lezione di scienze. Leonardo per tutta l'ora ha tirato palline di carta a Guglielmo, e Giulia come al solito prendeva appunti.

– Dunque, piccole bestiole, ascoltatemi bene. Le cellule sono minuscole entità che formano il nostro corpo... – diceva la maestra Rossella indicando il disegno che aveva fatto alla lavagna. Sembrava un panino. – Se non fosse per le nostre piccolissime cellule, noi moriremmo. È grazie a loro che siamo in vita. Mattia, – ha fatto poi al Dini, che stava giocando a battaglia navale con la Bucci, – vuoi ripetere ai tuoi compagni quello che ho appena detto?

Mattia si è guardato intorno in cerca d'aiuto, ma l'unica che stava ascoltando la maestra era Giulia. Teneva la testa sul foglio senza neanche alzare lo sguardo.

– Le cellule... – ha cominciato il Dini cercando di decifrare il disegno, – sono... cose che si mangiano...?

La maestra è diventata bordeaux.

– Che si mangiano! Ma senti un po' questa, che si mangiano!

E via a discutere, per dieci minuti buoni. Alla fine Mattia Dini si è preso una nota sul diario.

Ho chiuso subito il mio libro, non si poteva mai sapere. Quella era capace di darne una anche a me, di nota, ma soprattutto poteva venirle l'idea di sequestrarmelo. Sequestrava tutto. Anche i chewing gum masticati.

Alla ricreazione non siamo potuti andare in cortile perché pioveva. Tutti erano sparsi nei corridoi e in classe eravamo rimasti solo io, Xian e Giulia. Lei ripassava per la lezione dopo e il cinesino faceva origami, guardando le figure da un libro (allora non ero l'unico che si portava i libri a scuola!)

Ho mangiato la crostatina al cioccolato e mi sono messo a leggere:

La spedizione in Egitto.

Nel disegno, Napoleone era nel deserto, accanto a una piramide. Insieme a lui c'erano degli uomini con un camice bianco come quello dei dottori. Alcuni portavano gli occhiali e avevano in mano delle carte.

Una scritta sotto spiegava che, oltre alle migliaia di soldati, Napoleone si era portato dietro piú di centocinquanta scienziati, tra i migliori della Francia. Questo perché era cresciuto con la certezza che la conoscenza fosse la cosa piú importante del mondo.

La conoscenza era la cosa piú importante al mondo, ma la conoscenza di che cosa?

Il libro non lo specificava.

Mica si poteva sapere tutto.

Forse intendeva anche la conoscenza delle cellule del nostro corpo? Sarei dovuto stare attento alla lezione di scienze.

Ho picchiettato sulla spalla di Giulia.

– Non è che potrei vedere i tuoi appunti di oggi? – le ho chiesto cercando di essere il piú gentile possibile.

Volevo copiarli prima che suonasse la campanella.

– Certo che sei sempre il solito! Devi stare attento in classe. Sennò non imparerai mai niente. Non dovrei darteli perché...

L'ha fatta un po' lunga. Ma alla fine me li ha dati.

18.

A casa la mamma era in fibrillazione. Stava per arrivare il pittore di cui aveva parlato fuori dalla chiesa.

Mi ha detto: – Oh Teo, per quello che è successo ieri sera, ero solo un po' stanca. Il papà ha avuto una cena all'improvviso e io ci tenevo a vedere lo spettacolo. Adesso starà via per un po', sai. Ha un viaggio di lavoro.

Era partito senza neanche salutarmi!

– Ma quando torna?

– Tornerà presto, Teo. Adesso aiutami qui, dài.

Dovevo darle una mano a spostare un po' di mobili, tra cui il divano e quel brutto annaffiatoio arrugginito.

– E qui cos'è successo? – ha urlato, dopo aver visto il tappeto che avevo strappato quando cercavo di prendere la Bibbia.

– Qui dove? – ho chiesto io facendo finta di mettere in ordine i libri.

– Il tappeto!

Si è infilata gli occhiali e si è accucciata fino a toccare il pavimento con il naso.

Qua sono fregato, ho pensato.

– Teo, sei stato tu?

– Ma cosa ti salta in mente, mamma? Quando?

– Quando, devi dirmelo tu. Sono mesi che non guardo sotto il divano.

– Sarà stata Susi. Io no, lo giuro. Come avrei mai potuto fare, poi, a strappare il tappeto proprio lí?

– Mah, – ha mormorato la mamma tra sé e sé.
– La testa di toro la lasciamo? – le ho domandato per distrarla.
Ha funzionato.
– La testa di toro... La testa di toro sí, lasciamola. Potrei sdraiarmi qui, col toro dietro. Ovviamente bisogna sentire cosa ne pensa il signor Rimbaud.
– Il signor chi?
– Rimbaud, Teo, *Rimbaud*. È francese.
Già, davanti alla chiesa avevo sentito che il pittore era francese. Come Napoleone!
– Il mappamondo dove lo metto?
– Lo puoi mettere in camera tua, – mi ha risposto mentre si allontanava un po' dal divano per guardare la scena come se fosse già un quadro. Mica lo volevo il mappamondo, ma mi sembrava inutile discutere.
– Cosí dovrebbe funzionare. Vai a prendere una sedia in sala da pranzo ché la mettiamo qua.
Quando sono tornato con la sedia, era sdraiata sul divano e provava varie posizioni.
– Ah, – ha detto poi, – la plastica!
– La plastica?
– Da mettere per terra. Aiutami.
È corsa nello sgabuzzino. Ha tirato fuori un rotolone di plastica alto un metro. L'abbiamo steso sul pavimento, sotto e intorno alla sedia del signor Rimbaud.
– Cosí può andare... Come mi trovi?
Ha fatto una piroetta.
– Bene, mamma.
Gliel'ho detto per farle piacere, ma per me era uguale al solito.

Dopo mezz'ora hanno suonato il campanello.
Quando è apparso sulla soglia, il signor Rimbaud aveva

una valigia di cuoio un po' usata e una grossa tela bianca sotto il braccio. Si è scusato dicendo che a causa del ritardo del treno non era riuscito a passare dall'albergo. La mamma gli ha detto che non c'era assolutamente problema, che poteva lasciare la valigia di là, cioè in camera mia, e che io gli avrei offerto subito qualcosa da bere.

Ecco, adesso mi faceva fare anche il cameriere.

Mi andava bene, però, perché la mamma ci teneva moltissimo a fare bella figura.

Il signor Rimbaud ha poggiato la valigia sul tappeto della mia stanza e guardandosi in giro ha detto con un accento strano: – Molto ca*r*ina.

Mentiva.

In cucina ha dovuto abbassare la testa per passare dalla porta. Era di sicuro alto piú di due metri. Ha voluto del succo di frutta, che gli ho versato nel mio bicchiere di plastica a pois, il piú bello di tutti. La mamma però non sembrava contenta.

– Oh, Teo! Potevi dare al signor Rimbaud un bicchiere normale, sciocchino! – Poi gli ha detto: – Be', se vuole, posso farle vedere il salotto, cosí... ecco... le faccio vedere cosa ho pensato per il quadro. Sicuramente lei lo saprà meglio di me, non è certo definitivo. D'altra parte, niente è definitivo nella vita, non trova?

Poi sono spariti.

Mentre mi preparava la merenda, Susi mi ha chiesto com'era il pittore. Con la bocca piena del mio secondo panino alla nutella, le ho raccontato che mi sembrava uno in gamba, che parlava poco, ma aveva proprio un bel sorriso ed era simpatico.

E in quel momento mi è venuta un'illuminazione. Forse era quello il segno che mi stava mandando Dio! Il signor Rimbaud poteva essere la persona giusta a cui chiedere di

Napoleone! Aveva l'aria di uno che sapeva tante cose, e poi era francese. Se non gli scocciava troppo rispondere alle domande, forse avevo trovato la soluzione ai miei problemi.

Con l'orecchio attaccato alla porta del salotto, ho aspettato che smettessero di parlare del piú e del meno e che il pittore dicesse: – Al lavo*r*o, dunque.

Quando sono entrato, la mamma era seduta sul divano con le gambe unite.

Il signor Rimbaud, sulla sedia della sala da pranzo, tracciava segni scuri sopra la tela. Segni di matita però, non segni di Dio. O almeno credo.

– Posso stare? – ho chiesto.

– Zitto zitto, però, – ha risposto la mamma a denti stretti.

Ho osservato un po' il pittore, poi non ho piú potuto trattenermi.

– Hai mai fatto un ritratto a Napoleone? – ho buttato lí.

– Pu*rtr*oppo no, – ha risposto lui senza staccare gli occhi dalla tela, – non e*r*o anco*r*a nato, quando e*r*a vivo lui.

– E da morto non l'hai mai visto?

La mamma ha sibilato qualcosa, tipo: Ora vai, Teo, che il signor Rimbaud deve lavorare.

Per fortuna però lui ha detto che non lo disturbavo e che da morto non l'aveva visto, ma che avrebbe potuto fargli un ritratto lo stesso. Poi ha smesso per un secondo di disegnare e mi ha guardato.

– Pe*r*ché Napoleone, cosa ti piace di lui?

– Mi piace che vince tutte le battaglie, – ho risposto io.

Mi ha chiesto se avevo mai visto il quadro in cui lui era sul suo cavallo bianco e attraversava le Alpi.

– Non so se attraversa le Alpi, ma sulla copertina del mio libro è su un cavallo bianco.

– Hai un lib*r*o di Napoleone?

Non tutti lo potevano avere, allora!

– Sí, me l'hanno regalato per il compleanno.

La mamma era muta e immobile come una mummia. Ho capito che la stavo disturbando, ma ho voluto approfittare lo stesso della situazione. Era un'occasione che non potevo sprecare.

– Non è che per caso sai dove può essere adesso? – ho chiesto al signor Rimbaud.

– Chi, Napoleone?

Teneva la testa vicinissima alla tela e lo sguardo fisso. Ci ha pensato un po' su, poi a sorpresa mi ha detto che era certo di sapere dove lo potessi trovare.

– Ma ne sei proprio sicuro?

– Sicu*r*issimo.

– E... dove?

– Una volta ti ci po*r*to.

– Quando?

– Fo*r*se domani.

– Perché non oggi?

La mamma si è intromessa. Si è alzata, scusandosi, e mi ha detto che dovevo andare in camera. Mi ha trascinato per mano e io sono uscito senza fare storie. È facile ubbidire quando sei felice.

– Allora ci andiamo domani? – ho chiesto al signor Rimbaud.

Ha fatto sí con la testa.

– Ma devo morire per incontrarlo?

– Mo*r*i*r*e? Ma no, cosa ti salta in mente?

Allora era vero il mito di Orfeo, Leonardo non capiva proprio niente.

Neanche quella sera sono riuscito a dormire, ma per la felicità.

Mi porterà a conoscere Napoleone!, continuavo a ripetermi girandomi e rigirandomi nel letto.

Giorno nove

Ancora giovedí

19.

Appena sveglio volevo fare finta di essere malato per non andare a scuola e leggere piú pagine possibili del mio libro, cosí da essere preparato per l'incontro.

Fingermi malato era facile, bastava dire: «Ho mal di pancia», l'unica cosa che non potevano controllare, poi respirare forte e insistere per andare a scuola lo stesso.

Cento per cento garantito.

Mi davano il tè, che faceva schifo, ma io lo finivo tutto inzuppandoci i biscotti alla panna e se ne rimaneva qualche goccia la svuotavo nello spazio tra il muro e il letto e non se ne accorgeva nessuno.

Mi piaceva quando ero finto malato perché potevo girare in pigiama, non dovevo farmi la doccia e la mamma tornava a casa prima la sera, per vedere come stavo.

Ma se poi non mi lasciava uscire con il signor Rimbaud?

Sono andato a scuola.

– Bene. Ecco qua i risultati dei vostri compiti in classe, piccole bestiole. Ci sono state delle sorprese, come sempre. Prima di tutto, però, voglio complimentarmi con voi per l'impegno che avete messo nello studio di questa splendida materia, che è fondamento di tutte le cose del mondo. Ora. Guglielmo vieni qua, per cortesia.

Guglielmo si è alzato e si è avvicinato alla cattedra strascicando i piedi. Ha preso i quaderni che la maestra gli ha consegnato e li ha distribuiti a tutta la classe. Tutt'intorno si sentiva: – No, ma come! – o: – Lo sapevo, lo sapevo!

Quando è tornato a sedersi al suo posto, ero l'unico che non aveva ricevuto il compito corretto. Ho alzato la mano per dire qualcosa, ma la maestra mi ha preceduto.

– Come potete vedere, solo uno di voi è riuscito a produrre una vera e propria catastrofe. Devo complimentarmi con te? Devo forse complimentarmi? – ha esclamato puntandomi.

– Le ha sbagliate tutte di nuovo, – ha ridacchiato Guglielmo con Leonardo. – Povero Teo!

Cos'avrei dovuto dire? Accidenti a Giulia! Ma per fortuna mi sono controllato.

La maestra mi ha spostato di banco, mi ha messo accanto al cinesino. Poi, venendomi vicino al naso con il suo alito puzzolente, mi ha detto: – Vediamo se cosí riesci a imparare qualcosa, piccola bestiola.

Xian era molto bravo in matematica, quindi ero contento, finalmente avrei potuto copiare, alla faccia della maestra Rossella.

Mi sono accorto che stava usando la penna nera, invece della matita. Forse era cosí bravo che non aveva bisogno di cancellare. Ma la maestra la penna non ce la faceva usare. Gliel'ho detto.

Lui mi ha risposto che non gliene importava niente, e che in Cina si usava la penna nera.

– Non ci sono mai stato, in Cina.

– Nemmeno io, – ha risposto senza staccare lo sguardo dal quaderno.

– Però ci vorrei tanto andare.

– Io no.

– Teo, non ti ho cambiato di banco per chiacchierare, ma per stare attento!

Ho cercato di sbirciare dal quaderno di Xian. Quando se n'è accorto, lo ha spostato verso di me.

Durante quel che rimaneva dell'ora di lezione ho alzato la mano due volte con la risposta giusta. Si sono girati tutti a guardarmi. Xian sapeva il risultato ancora prima che ci arrivasse la maestra.

Quando è suonata la campanella gli ho chiesto dove aveva imparato tutte quelle cose e lui mi ha detto che le aveva imparate da solo nella sua stanza, quando abitava a Cantú e non aveva amici.

– Ora ce li hai?

– No.

Forse era troppo intelligente e gli altri non lo capivano.

Gli ho domandato perché aveva i quaderni tutti gialli, lui ha risposto che gli altri colori non gli piacevano e che tanto studiava solo matematica, perciò erano tutti di matematica. Infatti, alla lezione dopo, che era storia, lui è stato distratto e ha fabbricato aeroplanini di carta seguendo il suo libro di origami.

– Xian-wei, per favore, vorresti stare attento una volta tanto? – La maestra Pia.

Ma non era un problema. Io ero bravo in storia, avrebbe potuto copiare da me.

Alla ricreazione ho sentito che le maestre stavano parlando di Xian davanti alla presidenza. Ho fatto finta di allacciarmi le scarpe per sentire cosa dicevano.

– Xian-wei è un ragazzo adottato, mi capisci, Rossella? È normale che abbia dei problemi di apprendimento.

– Queste piccole bestiole sono tutte uguali. Ecco la verità. Pensa a Teo, per esempio. Voglio dire, lui non è mica adottato.

La maestra Pia, che si era accorta di me, le ha messo una mano sul braccio. Sono corso via.

Doveva proprio odiarmi quella strega di scienze, matematica e geografia con l'alito che puzzava di minestra. Era da quando mi aveva conosciuto che ce l'aveva con me, manco le avessi fatto qualcosa.

Sono andato in cortile un po' giú di morale e mi sono seduto sul muretto. Dopo poco il cinesino si è avvicinato.

– Posso? – ha domandato indicando il posto accanto a me. Aveva in mano una mela, mi ha fatto pena. Ho tirato fuori la mia crostatina al cioccolato e gliel'ho regalata, tanto non avevo fame.

– Mi dispiace che sei adottato.

– Perché? – ha chiesto lui, guardando dritto davanti a sé.

In effetti, ora che ci pensavo non capivo bene perché.

– Credevo che fosse una cosa triste.

– Una cosa triste è quando i genitori non li hai. Come gli orfani.

Mi piaceva, Xian-wei. Ho sentito che, se anche era uno un po' strano, di lui mi potevo fidare.

Anche lui, come me, non giocava a pallone, non si scambiava le figurine e aveva le sue cose a cui pensare, che erano importanti piú di tutto il resto.

Ho pensato che ci potevamo capire. Allora ho deciso di rischiare. Avevo davvero bisogno di raccontare a qualcuno che stavo per incontrare Napoleone e se non lo facevo mi sembrava che fosse meno vero.

Gli ho chiesto se per caso lo conosceva. Lui mi ha risposto che lo aveva sentito nominare, ma non si ricordava bene chi fosse.

Mi ero scordato che la storia non gli piaceva. Gli ho detto che era un eroe.

– Come Newton!

Non sapevo chi fosse Newton. È venuto fuori che era un eroe anche lui.

– Sai che un signore me lo farà conoscere?

– Chi, Napole*n*one?

– Napoleone!

– Io ho conosciuto Schumacher.

Schumacher era un pilota della Ferrari. Xian era molto orgoglioso di averlo incontrato, ma ho dovuto spiegargli che non era la stessa cosa, perché l'eroe che stavo per raggiungere io era morto.

– Ma dài! Davvero?

Avevo fatto colpo.

– Tu cosa ne pensi della morte?

– In Cina buttano le bambine coi piedi grandi giú dalle montagne.

– Solo perché hanno i piedi grandi?

– Sí.

Che tipi strani che erano i cinesi! Che fastidio gli davano le bambine coi piedi grandi? Ma non era quello il punto. Io volevo sapere cosa pensava che succedesse dopo.

– Dopo che sono cadute?

– Sí. Dopo che sono cadute.

Mi ha spiegato che, buttandole giú dalle montagne, i genitori avevano un figlio in meno, quindi una famiglia media risparmiava un bel po' di soldi. Mi ha detto anche la cifra: 60 000 yuan all'anno.

– Piú o meno, ho fatto i conti a mente una volta sotto la doccia, – ha aggiunto.

Secondo Xian-wei, nelle classi cinesi c'erano piú maschi che femmine per questo motivo delle cadute, perché i piedi grandi colpivano il trenta per cento delle bambine, quindi tre bambine su dieci. Questo voleva dire che i ragazzi avevano meno possibilità di sposarsi, quindi nascevano meno figli, e secondo i suoi calcoli, se la popolazione mondiale avesse fatto tutta cosí, sarebbe scomparsa in 3126 anni.

– Dici che i cinesi vogliono farci scomparire tutti?

– Sí.

– Quindi se muori fai un po' come i cinesi?

– Forse.

Non ci avevo mai pensato.

Quando è suonata la campanella siamo tornati verso la classe. Gli ho chiesto se sapeva che cosa succedeva dopo che si era morti.

– Ah, – ha fatto lui. – Be', diventi un numero negativo.

– Un numero negativo?

– Alle elementari ti dicono che non si può andare oltre lo zero, ma alle medie ti insegnano che dopo lo zero i numeri continuano: -1, -2, -3 e cosí via, all'infinito.

– Io pensavo che non ci fosse niente dopo lo zero, – gli ho detto evitando di andare addosso alle bambine che avevano finito di giocare a campana e stavano mettendo a posto i gessetti.

– Non esiste il niente, c'è sempre qualcosa.

I bambini di terza spingevano e correvano su, probabilmente perché avevano lezione con la maestra Pia, che ti dava una nota se arrivavi in ritardo.

– Quando muori, – ha detto Xian, – se sei 5, diventi -5, se sei 18, -18, e cosí via.

– Come, se sei 5?

– Ognuno è un numero. Tu sei 802, per esempio.

– E perché?

– Tutti hanno il loro numero.

– E come si fa a sapere qual è?

– Intuito. Io lo so.

Eravamo di fronte alla nostra classe, ma siccome la maestra era in ritardo ci siamo fermati a parlare sulla porta.

– Durante la vita, puoi cambiare numero.

– E come fai?

– Vivendo. Mia sorella qualche tempo fa era 512, adesso è 537. È cosí e basta. Per esempio, io sono 648 e, se muoio adesso, divento -648. Tu sei 802, se muori...

– Divento -802.

– Bravo.

La maestra ci ha sorpreso alle spalle: – Che cosa stiamo facendo, piccole bestiole? In classe! In classe, ragazzi, forza.

Ci siamo seduti al nostro posto.

– Non cambia tanto, solo che passi dall'altra parte, – ha detto ancora Xian.

– Silenzio voi due. Basta stupidaggini! – ha urlato la maestra.

Avrei voluto dire che non erano affatto stupidaggini e che i fiumi del Nord Italia erano molto meno interessanti, ma non ne ho avuto il coraggio. Rischiavo che mi cambiasse ancora di posto e ci sarei rimasto male.

Xian non era per niente strano, parlare con lui mi piaceva.

20.

A casa, mi sono precipitato dal signor Rimbaud, che stava in salotto con la mamma. Non mi ero neanche levato le scarpe, né la cartella. Mi ha detto che saremmo andati da Napoleone verso le cinque.

Allora ho fatto subito tutti i compiti. Ho finito un po' prima e ho riscritto il mio schema definitivo sull'aldilà. Ho tenuto solo le cose importanti.

CATTOLICI

INFERNO: se sei cattivo e NON ti confessi.
PARADISO: buono o cattivo, basta che TI confessi.

RELIGIONE DEL RI-CICLO

Se sei buono: rinasci uomo.
Se sei cattivo: rinasci animale, verdura o annaffiatoio (per dirne una, ma le possibilità sono infinite come i gusti del gelato).

RELIGIONE DEI CINESI

Se sei buono: diventi un numero negativo.
Se sei cattivo: diventi un numero negativo.

ATEI:

Nulla, zero, vuoto.

Di che religione era Napoleone? Cinese no di sicuro, però magari era un numero lo stesso. Per il resto, non potevo saperlo, perché ancora non conoscevo i comandamenti e chi poteva dire se si fosse confessato prima di morire?

Ma era inutile pensarci troppo, ci avrei parlato quel pomeriggio stesso. Me lo avrebbe detto lui.

Ho aspettato il signor Rimbaud all'ingresso, seduto sul pavimento. Avevo già messo la sciarpa e il cappello per non perdere tempo. Siamo usciti alle cinque e mezza. Speravo che Napoleone non se ne fosse andato, magari non gli piacevano i ritardi.

Abbiamo preso il tram. Era molto affollato. Ho avuto paura che anche tutta quella gente dovesse incontrare Napoleone come noi. Magari ci avrebbero dato il numerino come al banco dei salumi, e avremmo fatto notte. Forse il trucco era scendere prima di tutti e correre. L'ho detto al signor Rimbaud. Lui ha risposto che quelle persone non stavano andando da Napoleone, ma in centro a fare compere.

Mi sono tranquillizzato e ho approfittato per fargli qualche domanda. Sfiorava con la testa il tetto del tram e stava tutto curvo sulla maniglia a cui ci si aggrappa per non cadere. Io non ci arrivavo, cosí in alto. Mi sono attaccato al suo cappotto.

Gli ho chiesto: – Non è che per caso conosci i comandamenti di Dio?

– I comandamenti di Dio?

– Sí.

Ci ha pensato un po' su. – Non desiderare la roba d'altri, Non uccidere, Onora il padre e la madre, Non dire bugie, – mi ha detto. Me li sono ripetuti varie volte sperando di ricordarli.

Ehi, erano tutti divieti. Com'era severo, Dio. Quasi peggio della maestra Rossella.

– Se non ubbidisci finisci all'inferno?

– È probabile. Ma poi, noi non possiamo sapere che cosa passa nella mente di Dio.

Alla fermata del centro il tram si era svuotato. Eravamo rimasti solo io, lui e una signora coi baffi seduta in fondo.

Ho detto al signor Rimbaud: – Ma se Napoleone è in paradiso, come faccio a entrare? Perché io ho desiderato la roba d'altri, come per esempio i Baiocchi della Bucci, ho detto parecchie bugie e non so se ho onorato il padre e la madre perché non ho idea di cosa vuol dire...

Ma lui non ascoltava, stava cercando il bottone rosso.

Eravamo arrivati alla nostra fermata.

21.

– Ecco qua! – ha esclamato il signor Rimbaud.

La Biblioteca Nazionale era enorme. Non capivo com'era possibile che Napoleone si trovasse lí. Forse c'era un passaggio segreto che ti portava giú all'inferno? O un ascensore che ti faceva salire in paradiso? O forse era diventato il paio di occhiali del bibliotecario?

Dovevo avere pazienza.

Abbiamo attraversato cinque stanze piene di libri e di persone che leggevano. Non ho notato niente di strano.

Per star dietro al signor Rimbaud mi toccava quasi correre. Aveva le gambe molto lunghe, lui.

Mentre salivamo le scale ha cominciato a battermi forte il cuore e ho cercato di immaginare cosa dire e come comportarmi di fronte a Napoleone. Forse parlava solo francese? In quel caso andava bene lo stesso, perché il signor Rimbaud poteva tradurre.

Ci siamo fermati al terzo piano e siamo entrati in una sala quasi vuota. C'erano soltanto una ragazza grassa che tirava su col naso, un uomo che guardava fuori dalla finestra e un vecchio con pochi denti che scriveva su un foglio.

Il pittore è andato dalla ragazza e le ha chiesto qualcosa. Lei ha alzato la testa dal libro e ha indicato un punto davanti a sé. Forse gli stava facendo vedere dov'era il passaggio segreto?

Il signor Rimbaud è tornato e mi ha detto di sedermi e chiudere gli occhi.

A me quando c'era gente intorno non piaceva chiuderli, perché avevo paura che qualcuno mi facesse uno scherzo.

Del signor Rimbaud però mi fidavo.

Mi sono fatto coraggio.

È passato un po' di tempo, poi ho sentito la sua voce:
– O*r*a puoi ap*r*i*r*li.

Davanti a me c'era un libro. Aperto su un ritratto di Napoleone, in cui lui era giovane e aveva ancora i capelli.

Forse dovevo strofinare la mano sulla pagina e sarebbe apparso? Ho guardato il signor Rimbaud.

– Ecco, – ha fatto lui aprendo le braccia.

– Ecco cosa?

– Ecco qua Napoleone, – ha detto con un grande sorriso.

Avevo un nodo alla gola, non riuscivo a parlare e mi formicolava la faccia. Stavo per scoppiare a piangere. Ho stretto le sopracciglia e arricciato il naso per trattenermi, ma non ha funzionato.

– QUESTO NON È NAPOLEONE!

– Pa*r*la piano, Teo.

– NON È NAPOLEONE!

– Come no, gua*r*dalo.

E ho pianto, come una femmina, senza riuscire piú a fermarmi. Lui, in piedi, non ha detto una parola.

Credo che sia durato tutto un bel po', perché, quando finalmente mi sono calmato, la ragazza e il vecchio non c'erano piú: era rimasto solo l'uomo che guardava dalla finestra e adesso mi stava fissando.

– Stai meglio, Teo?

– Andrai all'inferno perché hai detto una bugia, lo sai? Mi avevi promesso che l'avrei incontrato, ma io volevo conoscere lui, non il suo quadro!

Mi ha messo una mano sulla spalla per calmarmi.

– Teo, – ha detto, – ti ho portato qui apposta. Guarda qua, questi sono tutti ritratti di Napoleone. Eppure lui è diverso in ognuno. Qui è giovane, ma se giri la pagina è un po' piú vecchio, e qui è trionfante, mentre là è tutto pensieroso. Napoleone, come noi, non è sempre uguale. Quale Napoleone volevi conoscere, ci avevi mai pensato?

– Quello vero.

– Come mostrano questi ritratti, un Napoleone vero non c'è. E se pensi a tutti i quadri che avrebbero potuto fargli ma non gli hanno fatto, ti rendi conto che di Napoleone ce ne sono infiniti.

Gli ho risposto che a me ne bastava uno, ma in carne e ossa, e che me ne fregavo dei quadri. Il signor Rimbaud è stato un po' in silenzio, poi ha parlato lentamente. Ha detto che il corpo di Napoleone era invisibile, ma che se avessi chiuso gli occhi lo avrei potuto vedere.

Non era la stessa cosa, però! E non serviva a nulla che dicesse che era piú bello cosí.

– Pensa al vento, Teo.

Il vento.

– Lo vedi?

Che domanda, certo che non lo vedevo, era invisibile!

– Però muove le foglie.

– Sí.

– Quindi esiste. Esiste, ma non si vede.

Non ci avevo mai pensato.

– Lo puoi disegnare?

– L'ho disegnato, qualche volta, a scuola: fai dei vortici in cielo con la matita blu. È facile.

– E perché lo disegni se è invisibile?

– Perché cosí lo vedo.

– Esatto. Pensa alle pa*r*ole, le senti ma non le vedi. Adesso che sto pa*r*lando, tu puoi ascolta*r*e la mia voce, ma non la puoi vede*r*e, giusto?

– Sí, è vero.

– Pe*r*ò le sc*r*ivi, le pa*r*ole. E pe*r*ché?

– Perché cosí le persone le possono leggere.

– Come le pa*r*ole, anche i nume*r*i.

– È vero che esistono i numeri negativi?

– Ce*r*to. Anche quelli sono invisibili.

– Ma si possono scrivere, – ho detto. – Basta prendere un numero e metterci il meno davanti.

– B*r*avo. Cosí *r*endi visibile qualcosa di invisibile. P*r*op*r*io come il vento e le pa*r*ole. Anche Napoleone, o*r*a che è mo*r*to, è invisibile. Ma esiste. E tu lo puoi vede*r*e, se chiudi gli occhi. E se lo disegni, lo puoi fa*r* vive*r*e di nuovo. P*r*ovaci.

Al ritorno il tram era vuoto.

22.

La mamma e il signor Rimbaud erano andati fuori a cena. Non mi avevano invitato, ma meglio cosí. Forse dovevano parlare ancora del quadro.

Ho mangiato i bastoncini Findus con la testa nel piatto, cosí in fretta che non li ho quasi masticati. Intanto cercavo di fare una lista di tutte le cose invisibili che conoscevo. Ma Susi parlava al cellulare: facevo fatica a concentrarmi. Allora mi sono alzato da tavola senza finire la cena. Non ho nemmeno preso la pallina di gelato alla crema.

Mi sono chiuso in camera e ho cercato di fare un nuovo schema.

COSE INVISIBILI:

Napoleone
Vento
Parole

Poi mi è venuto in mente anche:

Caldo
Freddo

Questo mi ha fatto pensare al paradiso e all'inferno.

Uno era in cielo. Ma in cielo dove? Avevo visto due documentari del National Geographic che mostravano gli astronauti: erano molto in alto, ma lí del paradiso neanche l'ombra. Era tutto buio.

L'altro era sottoterra. Allora quando facevano gli scavi

per costruire i palazzi, i parcheggi o le nuove linee della metropolitana, avrebbero dovuto trovarlo, no?

No. Ma non significava che non esisteva, solo che era invisibile.

Come Dio.

Era stata la mamma a dirmelo. Alla messa non si vedeva, ma tutti gli cantavano le canzoni. Avrebbe potuto essere proprio accanto a me in quel momento, senza che io lo sapessi. Sempre che ci fosse entrato, in camera mia. È un po' piccola per uno grande come lui.

E i numeri negativi?

Anche quelli erano invisibili.

Infatti ci potevano essere 2 cose, ma non −2 cose.

Invisibile, negativo. Visibile, positivo.

E poi c'era lo zero, che non era né l'uno né l'altro.

Lo zero era il vuoto. Ma Xian a scuola aveva detto che non esisteva il nulla, c'era sempre qualcosa.

E in effetti a pensarci bene in una stanza vuota poteva esserci un tappeto. E quando dicevi: «Ho lo stomaco vuoto», significava solo che avevi fame, non che dentro la tua pancia non c'era proprio niente. Persino lo spazio era sempre riempito di qualcosa: le stelle, le galassie e i missili.

Ma allora avevano ragione tutti. Dicevano la stessa cosa, ognuno a modo suo.

Secondo i cattolici diventavi invisibile per finire in cielo o sottoterra; secondo gli atei diventavi nulla, quindi invisibile anche in quel caso; per Xian diventavi un numero negativo, quindi invisibile; per il signor Rimbaud rimanevi nei paraggi come un fantasma, e nessuno ti poteva vedere; per quelli del riciclo... Va be', loro sono un discorso a parte.

Tutto stava cominciando ad avere un senso nella mia testa. Come quando riuscivo a completare il disegno di Bambi con i pezzi del mio puzzle.

23.

Quella notte ho fatto un altro sogno.

Entravo in casa e non vedevo niente. Sapevo che tutto era al suo posto, ma i letti, il divano, il tappeto strappato erano invisibili. Anche la mamma lo era, eppure ero certo che fosse lí.

Provavo a sedermi sul divano, e potevo farlo. La mamma diceva: – Leva le scarpe, ché lo sporchi, – e vedevo le parole volare per la stanza.

Togliendomi le scarpe mi rendevo conto che anche io ero invisibile. E le scarpe, nonostante le sentissi tra le mani e quando le buttavo a terra facessero rumore, erano fatte d'aria. La mamma si sdraiava sul divano e il signor Rimbaud la dipingeva. Tutto questo non lo vedevo, ma sapevo che stava succedendo.

A un certo punto sentivo il vento che faceva sbattere la finestra. Susi andava a chiuderla. Anche lei era invisibile.

Ma il vento lo vedevo entrare.

Era l'unica cosa visibile, insieme alle parole.

Era blu e riempiva la stanza, facendo vortici che si allungavano e si stringevano.

Dopo un po', mi accorgevo che in camera mia c'era Napoleone. Era lí, davanti ai miei occhi. Era seduto alla mia scrivania. Ed era proprio come sulla copertina del libro.

Ho cercato di parlargli. Le mie parole colorate galleggiavano nella stanza, una lettera dopo l'altra. Ma lui non sentiva e non vedeva né me né le parole. Allora mi alzavo e cercavo di toccarlo.

– Sveglia, Napoleone! Mi vedi?

Ma le mie mani passavano attraverso di lui.

Ho chiuso gli occhi.

Adesso potevo vedere la mamma, il signor Rimbaud in salotto e tutto il resto al suo posto. Solo Napoleone era sparito.

Quando ho riaperto gli occhi loro sono scomparsi come all'inizio del sogno.

C'erano solo Napoleone, il vento e le parole.

Nel frattempo lui si era messo a scrivere sul mio quaderno di matematica. Sono riuscito a leggere solo la prima riga:

–5, –8, –36, –192, –354, –665...

Giorno dieci

Ancora venerdí

24.

Quando mi sono svegliato c'era soltanto il mio quaderno di matematica, aperto sulla scrivania. Ma tutti i numeri erano piú grandi di zero.

Ho acceso la lampada scacciafantasmi e mi sono tirato su le coperte, fin sopra la testa. Questa volta non avevo bisogno di chiedere aiuto a Susi. L'avevo capito da solo cosa voleva dire il mio sogno.

Se volevo incontrare Napoleone, dovevo diventare invisibile come lui. E lo volevo, perché solo cosí potevo capire come fare ad aiutare mamma e papà a vincere la loro battaglia, e renderli felici prima che perdessero per sempre e diventassero come i genitori di Giulia, che erano dei divorziati, e una volta la mamma me l'aveva spiegato come succedeva. Prima litigavi, e durava mesi, tanti mesi, poi non litigavi piú e stavi in silenzio, e alla fine uno dei due se ne andava di casa e non tornava piú. Mai piú.

I miei genitori adesso stavano zitti, il papà era via per lavoro già da un giorno e non sapevo quando sarebbe tornato. Magari non gli piaceva piú tutto quel silenzio e finiva per non tornare neanche lui, come il papà di Giulia.

Dovevo sbrigarmi e farli ritornare felici. Cosí ritornava felice anche Matilde, e pure io. Anche se a quel punto sarei stato invisibile.

E non ero uno stupido, lo sapevo che per diventare invisibile c'era soltanto un modo.

Quel modo era morire.

Ho sentito freddo d'un tratto.

Morire era una cosa che succedeva ai vecchi, non ai bambini.

Una volta avevo sentito dire alla tivú che, quando muore un bambino, muore una possibilità.

Forse ai grandi dispiaceva che poi non crescessero e non facessero figli e loro non diventassero nonni.

Ma io non volevo avere figli né sposarmi. E non mi piaceva nessuna femmina della mia classe e io non piacevo a nessuna.

Ho tirato la testa fuori dalle coperte per respirare un po' d'aria.

La luce del mattino aveva cominciato a entrare dalla finestra. Ho spento la lampada scacciafantasmi.

Non avevo piú paura.

Sarebbe stato il passo piú difficile della mia battaglia, ma adesso sapevo che morire non era una cosa brutta, era solo continuare a vivere in un mondo che non si vedeva.

25.

È facile, pensavo inzuppando i Pan di Stelle nel latte con il Nesquik. Il cioccolato non è mai abbastanza la mattina.

Non appena sarò invisibile, mi dicevo, prenderò un treno dalla stazione per l'aeroporto e salirò sul primo aereo per Sant'Elena, l'isola dove era morto Napoleone, come mi aveva detto il signor Rimbaud. È in mezzo all'oceano Atlantico, vicino all'Africa. Come si vedeva da uno dei quadri di Napoleone che il pittore mi ha mostrato alla Biblioteca Nazionale, era un posto bellissimo. Doveva essere andato lí in vacanza, per riposarsi da tutte le battaglie che aveva combattuto. Quindi prima di cercarlo in paradiso o all'inferno, che di sicuro erano piú lontani, era meglio provare lí. Se non c'era, potevo comunque chiedere informazioni agli invisibili di quella zona, che di certo lo conoscevano, cosí andavo a colpo sicuro.

Forse io e Napoleone ci saremmo potuti fare anche un bagno in mare.

Avrei dovuto preparare tutto: lo spazzolino da denti, un foglio e una penna per giocare a tris durante il viaggio, i miei occhiali da sole per Sant'Elena o per il paradiso, se ci fossi dovuto andare, perché lí c'è piú luce che a Porto Ercole in estate, e un paio di pantaloni corti nel caso Napoleone non si trovasse nemmeno in paradiso e mi fosse toccato cadere dal dirupo per arrivare all'inferno. Con tutte quelle cose a cui pensare, mi ci sarebbe voluto il weekend intero per organizzarmi.

Sarei potuto diventare invisibile lunedí dopo la scuola.

Sí, mi sono detto dopo aver bevuto l'ultimo goccio di latte ed essermi pulito la bocca con la manica del golf, mi sembra proprio un grande piano.

26.

– Allora forse non mi sono spiegata bene. Non erano chiare le mie parole? Ho detto silenzio! Si-len-zio.

Volevo raccontare a Xian il mio piano, ma non riuscivo neanche a cominciare che ogni volta la maestra mi interrompeva per dirmi di stare zitto. Stava spiegando la circolazione del sangue. A me non importava dei globuli rossi disegnati sulla lavagna, tanto stavo per diventare invisibile. In realtà non mi sarebbe importato comunque.

Quel giorno, in piú, non avevamo fatto ricreazione perché qualcuno aveva sporcato i muri del bagno delle femmine disegnando dei teschi. Due di loro erano quasi morte di paura ed erano corse a piangere dal preside. Ci avevano puniti tutti perché non erano riusciti a scoprire chi era stato. Anche se io avrei scommesso il mio libro su Napoleone che era colpa di Leonardo.

– Che ingiustizia, – aveva detto Mattia Dini alla notizia del salto ricreazione.

Visto che a scuola non si riusciva a parlare, ho scritto a Xian un biglietto per chiedergli se nel pomeriggio voleva venire a casa mia. Mi ha risposto che all'uscita lo avrebbe domandato alla mamma.

Lei lo ha lasciato subito venire con noi perché era contenta che avesse finalmente un amico.

Sulla strada, Xian fissava Susi in modo strano. Mi ha detto: – Sono quasi certo che sia un numero periodico e i numeri periodici sono molto rari.

– Forse è una strega, – ho bisbigliato.
– No, le streghe sono gli zero, – ha risposto Xian, – lei non è uno zero.
– Sono uno zero perché non sono né vive né morte?
– Bravo.
– E i numeri periodici sono cattivi?
– No, – ha risposto lui, – sono solo numeri diversi dagli altri perché non si chiudono mai. Vanno avanti all'infinito, capisci?
– Credo di sí.
Ma non avevo mica capito bene.
Per cambiare discorso gli ho indicato il barbone che stava sempre nell'angolo col cartello:

UNA MONETA CHE A VOI NON SERVE
PER ME SIGNIFICA UN PRANZO.

– Non riesco a capire che numero è. Andiamo a parlargli? – ha detto Xian.
– Okay.
Se eravamo in due, non avevo paura.
– Possiamo, Susi? – ho chiesto alla mia tata.
– Ora arriva il treno, state qui.
– Ma è pericoloso? – le ho domandato.
– Teo, pericolo dipende da come tu guarda la vita.
Le risposte di Susi mi facevano ogni volta venire in mente altre domande. Forse era questo che voleva dire essere un numero periodico?
È arrivato il metrò. Siamo saliti. Era molto affollato, riuscivo a parlare col mio amico senza che mi sentisse la mia tata.
– Sai, Xian, che Susi mi ha detto che non esiste la morte? Dice che quando muori ti trasformi: a volte in un uomo, a volte in cose che non possono parlare, come un bic-

chiere o una zucchina, e poi ancora in qualcos'altro come un taxi o una rana, e via dicendo. Non so se ci credo, ma lei ne è convinta.

– Tipico dei numeri periodici!

– Fanno tutti cosí?

– Puoi contarci.

A Susi piaceva Xian, è stata gentile con lui e ci ha perfino lasciato mangiare cinque Gocciole Extradark e tre Polaretti Dolfin a testa.

Dopo la merenda ho fatto vedere camera mia a Xian. Non gli è piaciuta. Sono stato contento che fosse sincero, visto che non piaceva molto neanche a me. Era tutta celeste e bianca, troppo da bambino piccolo.

– Andiamo a parlare in bagno, visto che la mia stanza non è bella.

– Okay.

Ci siamo chiusi dentro con un pacchetto di Fonzies, due yogurt Müller con i pezzetti di cioccolato e delle pastiglie per la gola, alla fragola.

– Facciamo il bagno vestiti? – ho proposto.

– Mmh. Non mi va, – ha risposto lui. – Ti volevo chiedere, com'è finita con Napole*n*one?

– Proprio di questo volevo parlarti.

Poi, non ce l'ho fatta.

– Napole*o*ne, – ho detto.

Mi è venuta un'idea.

Sono corso in camera a prendere il libro. Forse se lo vedeva scritto se lo sarebbe ricordato. Ho indicato la copertina.

– Questo è Napoleone.

– Ah! – ha fatto lui. – E alla fine l'hai incontrato davvero?

Gli ho raccontato che purtroppo non era andata come speravo. Lui era un invisibile perché era morto e se ci volevo parlare dovevo morire e diventare invisibile anch'io.

– Dovrai saltare oltre lo zero e diventare negativo! – ha gridato lui.

– Esatto.

Ero cosí contento di avere finalmente trovato qualcuno con cui parlare che ho deciso di dirgli il mio segreto. Prima mi sono voluto assicurare che lo sapesse mantenere, ma Xian ha giurato su Newton, quindi mi sono fidato.

– E perché lo vuoi incontrare cosí tanto?

– Perché Napoleone sa come si possono vincere tutte le battaglie, non ne ha mai persa una. Nella mia famiglia sono tutti tristi e io ho deciso quale sarà la mia battaglia, che è la cosa che voglio piú di tutte le altre.

– E cioè?

– Farli tornare felici di nuovo. Perché ho paura che ormai la mia mamma e il mio papà siano vicini alla fase tre dei divorziati.

– La fase tre?

– Sí, quella dopo la fase due, che è quando hanno smesso di urlare e stanno in silenzio. Nella fase tre uno di loro non torna mai piú a casa.

– Mai piú?

– Sí, e io non posso permetterlo. Capisci cosa voglio dire?

– Credo di sí. Anche se mi mancherà non averti piú come compagno di banco.

– Non ti preoccupare. Quando sarò invisibile, verrò in classe a trovarti. Farò volare i tuoi aeroplanini di carta, cosí ti accorgerai che sono accanto a te.

Xian sembrava pensieroso. Stava per dire qualcosa, poi ha cambiato idea: – Fammi guardare il tuo libro, dài!

Eravamo veramente amici. Volevo dirglielo, ma era una cosa da femmine. Non potevo certo fare come Giulia e la Bucci che si disegnavano i cuoricini sul diario e si tenevano sempre per mano.

Ci ho pensato un po' su, ma era ovvio: per dimostrare che vuoi bene a qualcuno, gli fai un regalo.

E cosa potevo dargli se non la cosa a cui tenevo di piú?

– Prendilo tu, il mio libro. Tanto quando morirò non mi servirà.

– L'hai già letto tutto?

– No, ma non fa niente. Quello che dovevo capire l'ho già capito.

– Davvero lo posso tenere?

– È tuo, Xian.

– Mi dispiace che morirai presto, perché cosí non potrai diventare un milione...

– E tu lo diventerai?

– Sí. Un giorno credo che lo diventerò. Anche tu potresti.

– E come farei a sapere quando lo raggiungo?

– Te lo direi io.

– Rimarresti amico mio per tutto quel tempo?

– Secondo me sí.

– Quindi quando morirai anche tu, sarai –1 000 000, e io solo –802.

– Già.

– Potremo essere amici lo stesso?

Non ha fatto in tempo a rispondermi, perché Susi bussava alla porta del bagno. Era già venuta a prenderlo la mamma.

– E quando... salterai oltre lo zero? – mi ha sussurrato mentre lo accompagnavo all'ingresso.

– Lunedí, dopo la scuola.

Giorno undici

Ancora sabato

27.

Mi chiamo Teo, ho otto anni e voglio incontrare Napoleone.

Ho una battaglia molto importante da vincere e lui è l'unico che mi può aiutare. Per incontrarlo mi tocca morire, però, perché Napoleone è un morto.

Ho fatto una ricerca su Google, che contiene tutte le verità del mondo ed è dentro il computer di mia sorella Matilde.

Se digiti «suicidio» (che vuol dire uccidersi) la prima pagina che viene fuori è quella di Wikipedia. C'è un elenco molto lungo che spiega i metodi piú usati. Ho letto i primi tre per adesso, nessuno mi convince.

Devo continuare fino a che non troverò quello giusto per me.

Impiccagione.

Serve un albero, una corda e un vestito lungo come nel quadro che c'è sotto il titolo.

Io al limite avrei una vestaglia, ma poi la corda dove la attacco? Di alberi in casa non ce ne sono e le corna della testa di toro si potrebbero spezzare.

Combustione (cioè prendere fuoco).

Cosí è morta Giovanna d'Arco, che era una santa del Medioevo. Nel disegno si vede che erano andati tutti in piazza a guardare. Ma se io mi do fuoco con un accendino, mi spengono subito.

Folgorazione (cioè mettere le dita nella presa della corrente).

Questo metodo, secondo me, è per i bambini piccoli. I buchi della presa sono minuscoli e quando cresci le dita non ci entrano piú. Io ho provato, ma niente.

Annegamento.

Potrei provare a buttarmi nella piscina comunale con un sasso nascosto nel costume. Ma dove lo trovo uno molto grosso? E come faccio a non farmi scoprire da Susi? Poi lí c'è sempre il bagnino. Mi salverebbe di sicuro.

Soffocamento.

Dovrei premermi il cuscino forte sulla faccia quando vado a dormire. Ma c'è scritto che è una morte molto lunga... secondo me mi addormento prima di morire.

Le soluzioni di Wikipedia sono finite. L'ultima è spararsi, ma chi ce l'ha una pistola?

Devo farmi venire un'idea.

Dunque...

Potrei darmi una fortissima martellata in testa, ma se se mi faccio solo male e rimango vivo?

Potrei andare in guerra! No, non mi accetteranno mai, sono un bambino.

Potrei buttarmi in un camino acceso, ma non abbiamo camini; potrei buttarmi dall'altalena quando è nel punto piú alto, ma mi sbuccerei solo le ginocchia; potrei buttarmi sotto una macchina, ma in città stanno sempre ferme nel traffico; e buttarmi sotto un treno? Ci sono! Potrei buttarmi sotto...

... la metropolitana!

Basta saltare, al resto ci penserà lei. Giusto un salto, a piedi uniti, come quello per non farsi male alla fine delle scale mobili.

Diventerei invisibile in un secondo, senza neanche soffrire. Sarà anche comodo, perché in metrò ci devo andare comunque dopo la scuola. Poi, non appena diventerò invisibile, salirò su quella dopo che mi porterà alla stazione.

L'unico problema potrebbe essere Susi. Se mi tiene la mano come fa di solito, non posso prendere la rincorsa e saltare.

In qualche modo dovrò distrarla.

Devo fare un piano preciso per non rischiare che vada tutto a rotoli per colpa sua.

So che se ti salvano da un suicidio poi ti mandano dallo psicologo. Lui ti fa sdraiare su un letto e ti chiede di dirgli tutto di te. Anche se gli dici la verità lui non ti crede e dice a tutti che sei pazzo.

Poi ti dà delle pasticche che devi prendere tutti i giorni e che ti calmano un po', come quelle che dànno ai leoni dello zoo, e se ti dimentichi di prenderle dài di matto, e ti portano all'ospedale. Se invece sei già calmo vuol dire che sei depresso e ti dà delle medicine per essere felice, solo che se ti dimentichi di prenderle non ti alzi piú dal letto.

28.

In casa c'è un'aria strana. Siamo solo io e la mamma, e lei sembra pensare continuamente a qualche cosa, ma non riesco a capire a che cosa. Si muove da una stanza all'altra parlando da sola. Sposta gli oggetti del salotto. Smonta perfino la testa di toro dal muro e la appoggia a terra, dicendo che va portata in cantina, ma è troppo pesante.

– Lo farà papà, – le dico, visto che toccano a lui quei lavori lí.

– Mmh, – mugugna lei.

Le chiedo se posso vedere il quadro del signor Rimbaud. Prima di partire mi ha invitato in Francia. Quando sarò invisibile ci farò un salto di sicuro.

Il quadro è ancora sul cavalletto, coperto con un telo. Lo togliamo.

Wow, è bellissimo.

Il signor Rimbaud ha dipinto la mamma ancora piú bella di quello che è. Sorride e il suo vestito luccica come nei film. Le ha disegnato perfino gli orecchini di perle. Peccato per il tappeto strappato sullo sfondo.

– Sei stupenda, mamma. Papà rimarrà a bocca aperta.

Aveva ragione. Meglio una sorpresa cosí, che la pizza davanti alla tivú.

Guarda una sedia vicino alla porta, dove il papà si mette di solito a leggere il giornale, e dove ha lasciato un maglione. Forse è arrabbiata perché prima di partire per lavoro non l'ha piegato, dopo tutte le volte che gli ha detto di tenere le cose in ordine.

Rimette il lenzuolo sulla tela e rimane impalata a guardare un punto a caso sulla parete.

Non piega il maglione.

– Mamma?

– Sí?

– Sento puzza.

– Puzza di cosa... Ah! – urla correndo in cucina.

Si è dimenticata il pollo sui fornelli. Per fortuna me ne sono accorto. Ormai però è tutto bruciato.

Dice una parolaccia, butta il pollo nel cestino e cerca qualcosa nel mucchio di fogli del primo cassetto. Tira fuori un volantino. Prende il telefono e compone un numero.

Sta ordinando il take-away.

Mi piace mangiare cinese, usare le bacchette, assaggiare tutte le salsine e gli spaghetti che sembrano vermiciattoli e gli involtini primavera e soprattutto le patatine, quelle bianche, che si chiamano nuvole di drago e si inzuppano in una salsa rosso fuoco.

Chissà se Xian le mangia ogni sera le cose del take-away.

Aspettiamo in cucina. La mamma scarabocchia su un foglio e dice che non c'è bisogno di apparecchiare. Questo è un altro punto a favore del cinese: si mangia direttamente dalla plastica e non ci si pulisce la bocca.

Quando arriva il ragazzo del ristorante l'odore di cibo mi fa brontolare la pancia cosí forte che devo tenerla ferma con la mano. Prendo tutti i sacchettini e sto per correre in cucina quando la mamma si accorge di non avere abbastanza soldi.

Non è da lei dimenticare queste cose.

Cerca di convincere il fattorino a pagare con la carta

di credito, che è come i soldi ma di plastica. Lui le spiega che non ha la macchinetta.

La mamma sbuffa, mi strappa dalle mani tutti i sacchetti e li restituisce al ragazzo. Lui li prende e sparisce giú dalle scale.

Ciao, cena buonissima.

Per fortuna in freezer ci sono i bastoncini Findus.

– Ti faccio questi, vuoi?

Ha la faccia di una che vuole essere in un altro posto. A teatro con il papà, magari.

Lei non mangia niente e fuma una sigaretta dietro l'altra. È la prima volta che la vedo fumare. Mi ha raccontato che ha smesso quando è rimasta incinta di Matilde, e che fumare è proprio da stupidi.

– Mamma, perché fumi se è da stupidi?

– Cosí, per fare qualcosa.

Alle nove mi mette a letto. Dalla mia stanza la sento discutere al telefono con mia sorella.

– Tu pensa a divertirti ché è il tuo ultimo giorno di gita e non dirci cosa dobbiamo fare! Sono cose mie e del papà!

Eccoci, ho pensato.

Si sta avvicinando la fase tre.

Giorno dodici
Ancora domenica

29.

Sono le undici e la mamma sta ancora dormendo. Ha i capelli appiccicati alla faccia e il segno del cuscino sulla guancia. Ieri sera si è dimenticata di spegnere la luce del bagno. Di solito è papà che spegne tutte le luci della casa, dice che se no è uno spreco.

Non so se svegliarla, dovevamo già essere alla messa. Forse è meglio di no. Andare in chiesa è inutile, tanto Dio non c'è.

Aspetterò.

Sono le due e mezza e suonano alla porta: è Matilde. La mamma non si è ancora alzata. Io ho fatto colazione due volte, non sapevo cosa mangiare per pranzo.

Matilde sembra stanca, mi saluta a malapena.

– La mamma?

– Dorme.

– Ancora? Ma che è successo? – corre verso la camera dei miei genitori.

Apre la porta, faccio appena in tempo a vedere dentro, che me la richiude in faccia.

La sento urlare. Dice che tornare a casa ormai le mette tristezza, è diventato deprimente come una prigione e non ce la fa piú.

La mamma risponde qualcosa che non riesco a sentire.

Mi dispiace che Matilde sia cosí arrabbiata.

Cosa posso fare?

Ecco. Le farò un regalo per tirarla su. Un ritratto, come quello che il pittore ha fatto alla mamma. Se a lei è piaciuto cosí tanto, perché non dovrebbe piacere a Matilde? Forse è anche un po' offesa perché non ne ha fatto uno pure a lei.

Vado in camera e cerco il mio album da disegno. Un foglio è troppo piccolo, però. Ne appiccico quattro insieme con lo scotch, uno di fila all'altro, cosí le farò un ritratto alto piú o meno come lei. Lo stendo sul pavimento e cerco i pennarelli. Prendo anche una matita e una gomma da cancellare. Comincio a fare gli occhi e la bocca e...

Improvvisamente mi viene un'idea. Invece di Matilde, potrei disegnare il piccolo cercopiteco!

Cosí mia sorella impara com'è fatto e può mostrarlo a tutte le sue amiche, saranno gelosissime.

Disegnare una scimmia non è facile, ma non sta venendo male. La disegno in piedi, con la coda lunga e l'espressione sospettosa che ha quando guarda la telecamera. Faccio anche la foglia di fico, la tiene stretta in una zampa.

Coloro tutto con i pennarelli.

Mi allontano un po' e guardo quello che è venuto fuori. Sono soddisfatto. È quasi uguale a mia sorella.

Ma non è tutto, le cose vanno fatte bene. Cerco le vecchie Barbie di Matilde tra i miei giocattoli. Taglio tutti i capelli, tanto non le servono piú, e li incollo sulla scimmia come fossero peli.

Metto un po' di rossetto della mamma dove sono disegnate le labbra, per far capire che è femmina.

Finito.

Visto che il foglio non sta in piedi da solo, prendo una sedia e mi arrampico per attaccarlo al muro con lo scotch, davanti a camera sua, cosí appena esce se lo trova davanti. Per terra lascio un biglietto con scritto:

QUANDO TI GIRI IL METRO INTORNO ALL'OMBELICO UN PO' CI SOMIGLI. TI PIACE?

Spero che sia contenta come Xian quando gli ho regalato il mio libro.

Per un po' non succede niente.

Torno nella mia stanza felice, il disegno è venuto benissimo.

Appena Matilde vedrà il regalo verrà da me e faremo la pace. Mi chiederà scusa e mi dirà che sono il suo fratello preferito, che anche se sono l'unico è comunque una cosa bella da dire, e che giura sul suo computer di non sgridarmi mai piú.

Finalmente la porta di Matilde si apre, forse deve andare in bagno.

Sento un urlo da dinosauro delle caverne. Mi chiama.

Esco. Sta venendo verso di me. Sembra arrabbiata.

Ma cos'ho fatto di male?

– Teo, – mi dice. – Ma mi prendi per il culo?

– Ma no...

Perché non le piace il mio regalo? A me sembrava bello.

– Io non sono una scimmia. E tu sei un cretino! – sbraita.

Ma non ha capito cosa volevo dire... Non c'è niente che io possa fare per piacerle almeno un po'?

– Non sei una scimmia, Matilde. Sei mia sorella.

D'un tratto sembra piú triste che arrabbiata.

– Teo, – mi dice. – Scusa. Scusami, hai ragione. Non volevo essere cattiva. È che è tutto cosí... difficile. Papà non è ancora tornato... la mamma dorme tutto il giorno...

– Forse sei stanca dalla gita, è per questo che vedi tutto nero.

– No, Teo. Non sono stanca.

E mi stringe a sé. Non lo fa quasi mai.

– Forse è perché sei in un'età difficile, – le spiego, – la mamma lo dice sempre. Papà tornerà a casa, te lo prometto.

Lei mi stringe ancora piú forte. Poi lascia la presa.

– Ci sono cose che non si risolvono facilmente.

– Difficilmente sí, però. Ogni problema ha sempre almeno una soluzione, come dice la maestra Pia.

– Ma non spetta a noi, Teo.

– Io li aiuterò, ho un grande piano. Vedrai che tra qualche giorno le cose saranno mooolto diverse.

– Un piano?

– Non te ne posso parlare, perché è un segreto. Ma vedrai che funzionerà.

A lei scappa una risata.

– Teo, sei piccolo. Cerca di non pensarci.

– Stai tranquilla, – le dico.

– Anche tu, Teo. Sta' tranquillo.

Le metto la testa sul cuore. È cosí che si consolano le persone.

30.

La mamma non è uscita dalla sua camera per tutto il giorno. Busso per chiederle se papà tornerà a casa. Apre la porta e mette fuori la testa. Ha una faccia da zombie. Chiede a mia sorella di occuparsi di me.

– Occupati di Teo.

Dice proprio cosí.

Mia sorella non ha voglia di cucinare niente. Ci mangiamo il pane con la nutella.

Me ne torno in camera mia.

È ora di pensare a cosa portarmi nell'aldilà.

Cerco nell'armadio i vestiti estivi, nel caso debba andare all'inferno. Prendo la mia maglietta preferita, quella col canguro che mi ha portato il papà dall'Australia. Cerco gli occhiali da sole per il paradiso, ma non li trovo. Forse li tiene la mamma da qualche parte, non mi sembra il caso di chiederglielo. Se dovrò andare lí farò senza, o magari lassú ci sarà qualcuno che ne ha un paio da prestarmi.

Lo spazzolino da denti lo metterò per ultimo, domattina. Il foglio e la penna per il tris sono già nella cartella.

C'è tutto.

Anzi no. C'è un'altra cosa che voglio portare con me. È sulla scrivania.

Una foto di tutti noi a Porto Ercole qualche anno fa, quando i miei genitori ancora non litigavano.

È l'unica foto che riesce a far sorridere la nonna quando andiamo a trovarla all'ospedale per vecchi.

Questo perché indossavamo tutti dei turbanti, come i turchi. La mamma e il papà avevano usato gli asciugamani rossi della spiaggia, Matilde il suo pareo a righe e io, visto che non era rimasto niente, la tovaglia a quadretti della cucina.

Eravamo ancora una famiglia felice.

Metto la foto nella tasca segreta della cartella, voglio averla sempre con me.

Giorno tredici

Ancora lunedí

31.

È il mio ultimo giorno di scuola, ma nessuno lo sa.

Tutto sta andando come sempre.

Leonardo tira palline di carta alla Bucci e lei neanche si gira perché è tutta intenta a disegnare cuoricini per Guglielmo, che non la guarda proprio. Anzi, sta scrivendo una barzelletta sul diario del Dini, che sghignazza come una iena ridens. Visto che la Bucci non si gira, Leonardo cerca di fare il solletico a Giulia passandole un righello sul collo. Lei gli dice di piantarla. Ha già alzato la mano quindici volte, le ho contate, e ha risposto sempre bene, guarda caso.

Xian mi fa capire che mi deve parlare. Gli dico con l'alfabeto muto di aspettare la fine della lezione, ma lui non capisce perché non lo conosce bene.

– Teo, visto che non riesci a stare attento vuoi dirci la risposta alla domanda 3B di pagina 38?

– Cioè?

– Giú dalle nuvole, ragazzo. La domanda 3B. Oliver Twist veniva da?

Oliver Twist! Me ne ero completamente dimenticato. Accidenti a me.

– Oliver Twist veniva da...

In quel momento sento sussurrare: *Dall'Inghilterra.*

È Xian, che ha il libro sottomano.

– Dall'Inghilterra! – esclamo, sicuro di me.

– Bravo Teo, e sai dirmi anche la risposta alla domanda 3C per caso? Oliver Twist era un?

Un orfano.

– Era un orfano.

– Bravo Teo. Stai attento adesso, però, va bene?

Pfiú! Per fortuna che c'è Xian-wei.

«Grazie Xian», gli dico con l'alfabeto muto. Lui chiude la mano a pugno e alza il pollice. Grande, questo almeno l'ha capito.

Non riesco a parlare con lui nemmeno alla ricreazione perché ci mettono ancora in castigo. Qualcuno ha spalmato la Vinavil sul registro. Ci fanno restare tutti seduti a scrivere venti volte su un foglio: «Non si attaccano le pagine del registro con la colla». Dobbiamo mangiare la nostra merenda in silenzio.

– Che ingiustizia bella e buona, – ha detto come al solito il Dini.

È finito il mio ultimo giorno di scuola. Lascio tutti i libri sotto il banco, tanto non mi serviranno piú, e cosí nell'aldilà sarò piú leggero.

Xian mi afferra per un braccio.

– Quando pensi di morire?

– Tra poco, – gli dico. – Ho deciso che salterò sulle rotaie quando sta per arrivare la metropolitana. È la linea gialla, cosí appena sarò invisibile potrò andare direttamente alla stazione e partire per Sant'Elena. Napoleone è morto lí. È un'isola bellissima dove era andato in vacanza. D'altra parte dopo che uno ha vinto tutte le battaglie ha il diritto di riposarsi un po'.

– Teo, – mi dice Xian tirandomi ancora piú vicino, – è da stamattina che cerco di parlarti! Non è come dici tu.

Era agitato.

– Come dico io cosa?

– Che Napoleone ha vinto tutte le battaglie. Ho chiesto a mio padre e mi ha detto che una volta ha perso. A Waterloo.

Lo guardo senza riuscire a dire niente. Come ha potuto rivelare il mio segreto al suo papà?

– Non sei un vero amico. I veri amici non ti tradiscono.

– Ma ascolta, Teo, l'ho fatto per te. Ero preoccupato. Volevo essere sicuro che, se proprio dovevi diventare invisibile, almeno ne valeva la pena.

– E infatti ne vale la pena. Tuo padre dice le bugie. C'è scritto anche sul libro, che Napoleone ha vinto tutte le battaglie.

Mi giro senza salutarlo e me ne vado.

Spero che corra verso di me e urli: «Scherzavo, Teo! Ci vediamo nel mondo dei numeri negativi, buona fortuna!»

Non lo fa.

32.

Sulle scale mobili Susi si leva il cappello e lo leva pure a me. Non può sapere che questa volta è tutto diverso, che se anche me lo lascia in testa non cambia niente.

– Susi, noi da quanti anni ci conosciamo?

– Sei anni, Teo.

– Quindi sei arrivata quando avevo due anni?

– Sí, Teo.

– Allora un po' di bene me lo vuoi, vero?

– Certo, tu per me è come miei figli.

Il tabellone luminoso dice che mancano cinque minuti all'arrivo del treno.

Conto i passi dalla linea gialla al muro.

Sono dieci.

Il barbone è al solito posto. Allora mi viene un'idea. Prendo dalla tasca i cinque euro che mi ha lasciato la mamma per la merenda e vado verso di lui. Tanto non mi serviranno piú e, se finisco da san Pietro, ci faccio pure una bella figura e lui mi fa entrare in paradiso senza tante storie.

Quattro minuti all'arrivo del treno, è scritto sul tabellone.

– Grazie, giovanotto, – mi dice il barbone con un grande sorriso, stringendo i soldi nella mano e mettendoseli in tasca.

– Però non te li bere! Mio papà dice che ti bevi i soldi e non hai voglia di combattere. Per questo stai tutto il giorno qui sotto.

Il barbone si tira su con la schiena.

– Guarda che io sono uno che ha combattuto tantissimo, invece!

– E hai sempre perso?

– A volte si vince, altre si perde, ragazzo.

– Io conosco uno che ha vinto tutte le sue battaglie.

– Vuoi che ti dica la verità? L'importante non è vincere o perdere. L'importante è non arrendersi mai.

Ehi, questo lo diceva anche il mio libro.

– Però tu ti sei arreso, – gli dico. – Se no adesso saresti a lavorare.

– Ce l'avevo io, un lavoro.

– E poi cos'è successo?

– È successo che, come tutti prima o poi, ho avuto la mia Waterloo. Ma questo non vuol dire che non mi rialzerò, sai?

Waterloo. Era la stessa parola che aveva usato Xian.

– Non gli servivo piú e mi hanno lasciato a casa, – continua il barbone. – Solo che l'affitto di una casa costa tanto, e se non lavori devi andartene anche da lí.

Accidenti, se fosse un giorno come un altro, appena tornato a casa lo racconterei al papà.

Tabellone luminoso. Tre minuti all'arrivo del treno.

– Che lavoro facevi?

– Ero un professore di storia alle superiori.

– Ma allora eri uno importante!

– Importante oggi, inutile domani. Questa è la vita, giovanotto.

– E della morte, cosa pensi? – gli domando, mi sembra uno che la sa lunga.

– La morte è un treno che ho perso varie volte, – mi risponde. – Mi è capitato spesso di andarci vicino, perfino di mia spontanea volontà. Per fortuna, però, all'ultimo mi sono sempre salvato. E lo sai che cosa mi ha salvato?

– Cosa?

– Un pensiero che dice: non c'è fretta.

– Solo questo?

– Solo questo. Prima o poi ci tocca. Morire è l'unica cosa che sono tutti in grado di fare.

– Non capisco, signor barbone.

Mancano due minuti all'arrivo del treno.

– Signor barbone? Guarda che anche io ho un nome, sai.

Credo di averlo offeso.

– Qual è il tuo nome? – gli chiedo allora, per recuperare.

– Luigi, – risponde alzando la testa. – Anche se qui mi chiamano tutti Napoleone.

Come?

– Napoleone?!

Il cuore mi batte nel petto come gli zoccoli dei cavalli dei soldati.

– Ma che dici?

– Hai sentito bene.

Napoleone proprio qui davanti ai miei occhi? Si è trasformato in un barbone, lui che è l'eroe piú famoso di tutti? Seduto sul pavimento sporco di una stazione della metropolitana, a fare l'elemosina per comprarsi un panino?

– Vuoi dire proprio, proprio Napoleone?

– Sarà perché sono uno a cui piace combattere.

Guardo i suoi capelli, lunghi fino alle spalle, spettinati, le dita sporche, la camicia rossa che esce dalla giacca. Lo guardo bene, non ci somiglia a Napoleone, non ci somiglia per niente. Però Susi mi ha detto che possiamo trasformarci perfino in una zucchina, o in un sasso. In fondo, gli occhi sono dello stesso colore. E dice tutte le cose che sono scritte nel libro. E anche lui sta perdendo i capelli e ha la giacca blu.

– Ma sei proprio lui? – gli sussurro per non farmi sentire dalla mia tata.

– Puoi starne certo, – mi risponde facendomi l'occhiolino.

Napoleone davanti ai miei occhi! Altro che invisibile e invisibile... Avevano ragione quelli del riciclo!

La banchina si sta riempiendo. Susi continua a farmi segno di avvicinarmi. Ma non posso.

– E allora qual è il segreto? – chiedo a Napoleone.

– Il segreto?

– Il segreto per vincere.

Mi studia come se fossi la cartina appesa al muro della nostra classe, poi mi dice: – Il segreto è non pensare mai di essere troppo piccolo.

– Tutto qua?

– Quello che ci serve, nella vita, è sentirci sempre grandi abbastanza.

Ecco, il rumore della metropolitana che entra nella galleria.

– Guarda che ti stanno chiamando, – dice Napoleone indicando Susi.

– No! Devo andare.

– Sai che ti dico? Me ne vado anche io.

– Vieni a casa mia?

– Grazie, ma ho tante battaglie ancora da combattere, e vale la pena di cominciare subito...

La metropolitana frena dietro di me.

– Teo, viene, – mi dice Susi.

Le porte del treno si aprono. Allontanandomi saluto Napoleone con la mano. Poi continuo a guardarlo attraverso il finestrino. Lui mi sorride, si alza in piedi e se ne va.

Il treno parte. Mi accorgo che in alto di fronte a me c'è una pubblicità:

IMPARA ANCHE TU A LEGGERE IL LINGUAGGIO DEI SEGNI.

– Perché ride, Teo. A cosa pensa?

– A niente, – le rispondo io. Proprio come fanno i grandi.

Ma non è vero. Sto pensando a un sacco di cose.

Penso che ho avuto Napoleone sotto gli occhi per tutto quel tempo e non me ne sono accorto! Penso che aveva ragione Susi con la sua storia del riciclo. Penso che Dio non si era dimenticato di me, stava solo aspettando il momento giusto per mandarmi un segno. Penso che Xian è veramente il mio migliore amico, e i migliori amici forse devi ascoltarli e non pensare che ti dicono le bugie.

Penso che non devo piú morire, perché la mia risposta l'ho appena avuta: non è vero che sono troppo piccolo. Farò come Napoleone, che non si arrende mai, e continuerò a combattere la mia battaglia da vivo.

Andrò dalla mamma e le dirò, Alzati da quel letto, ché papà alla fase numero tre non ci arriverà, perché nel frattempo gli avrò già telefonato e detto che un vero uomo deve affrontare le difficoltà in prima linea e di tornare a casa in fretta da quel suo lavoro. Se non torna, perde la cosa piú bella che ha: la mamma, Matilde e me, Teo.

Penso che ho davanti ancora moltissimo tempo, non so quello che succederà, ma lo scoprirò.

Basta immaginare che la mia vita è un libro, e ogni giorno è una pagina, e se giro quella di oggi c'è scritto:

ANCORA TUTTA LA VITA

Ringraziamenti.

Questo romanzo non avrebbe visto la luce senza il lavoro di tante persone che si sono appassionate a tal punto da dedicarvi molto del loro tempo, soprattutto quello libero.

A tal proposito, ringrazio:

La mia agente Vicki Satlow per avermi dato fiducia fin dall'inizio, per la disponibilità al dialogo, i consigli e per tutto il lavoro che ha fatto e sta facendo per me.

Mattia Signorini per avere creduto in me fin da quando il romanzo era di sole cinquanta pagine e per l'aiuto che mi ha dato durante la seconda stesura. Senza di lui questo libro non sarebbe quello che è.

Stefano Gallini, Gherardo Sallier de la Tour, Lorenzo Mauri, Cristina Foschini, Elisabetta Rubin e Guglielmo Cutolo per l'interesse e la disponibilità.

Severino Cesari, Rosella Postorino, Luca Briasco e Paolo Repetti per l'entusiasmo con cui hanno accolto *Teo* a Einaudi Stile Libero.

Rosella Postorino, di nuovo, per i preziosi suggerimenti, il cioccolato e le ore piccole fatte in casa editrice per terminare in tempo il lavoro.

La mia numerosa famiglia che ha sempre tifato per me. In particolare: mio padre per lo scambio creativo costante, mia madre e mia sorella per i loro puntuali e attenti suggerimenti, i miei fratelli per la loro buona dose di ironia.

Fulvia, Giuseppe ed Emanuele Visconti, perché senza di loro Teo non si sarebbe potuto innamorare di Napoleone.

Riccardo Giannelli Viscardi per l'ospitalità durante la seconda stesura.

Ringrazio gli amici a cui, durante la scrittura, ho detto: «Ti richiamo tra un secondo» e l'ho fatto dopo una settimana, quelli a cui ho detto: «Ci sarò» e poi non sono andata, e che mi hanno sempre perdonato.

Vijaya Bechis Boll, perché dopo aver letto il mio primo racconto mi ha detto di scriverne un altro.

Alessandra Marelli, Alexander Hawthorne, Anna Pestalozza, Camille Pontabry, Eleonora Pedroni, Flaminia Balestreri, Didi Grassi, Giovanni Ziggiotti, Gaia Cervelin, Justine Arden, Igne Barkauskaite, Manfredi Bozzi, Marina Leggiero, Marta Sanzini, Nicoletta Procopiou, Rosaria Motta, Simone Lisi, Sofia Gotti, Sofia Cristadoro e Stephano Regueros Savvides Garcia-Herreros per aver creduto sempre in me e in quello che scrivevo.

Ringrazio inoltre:

Raymond Queneau per l'incipit de *I fiori blu*.

Eugène Ionesco, Lewis Carroll, Samuel Beckett, Italo Calvino, Roald Dahl, Amélie Nothomb, Alejandro Jodorowsky, Marcel Duchamp e tutti gli artisti dada per la loro follia controllata.

Jean-Pierre Jeunet per avermi mostrato chi sono.

Fritz Lang, perché è stato dopo aver visto *Metropolis* che ho cominciato a scrivere questo libro.

Maria Callas, Mumford & Sons, Roberto Cacciapaglia, Philip Glass, Giorgio Gaber e Michael Jackson, perché non si può mica vivere in silenzio.

Mark Haddon per lo splendido ritratto di Christopher Boone.

Henry Miller, perché invece che mangiare scriveva.

Fortunato Depero, perché era bellissimo, da giovane; Filippo Tommaso Marinetti e gli altri del circolo futurista per avermi convinto che sistematizzare i propri principî abbia i suoi vantaggi.

Oscar Wilde, perché ha sempre la risposta pronta. Spesso è quella giusta.

Ringrazio i cristiani, gli ebrei, i buddhisti, gli induisti, i taoisti, i musulmani e tutte le persone che credono in una vita ultraterrena per avermi dato speranza, oltre che molti spunti interessanti. Senza di loro sarei perduta nel nulla. Ma il nulla, come dice Teo, non esiste.

C'è sempre qualcosa.

E meno male.

Un ringraziamento speciale a Napoleone Bonaparte.

Indice

Questo libro è stampato su carta contenente fibre certificate FSC®
e con fibre provenienti da altre fonti controllate.

Stampato per conto della Casa editrice Einaudi
presso ELCOGRAF S.p.A. - Stabilimento di Cles (Tn)
nel mese di aprile 2014

C.L. 21732

Edizione	Anno
1 2 3 4 5 6 7	2014 2015 2016 2017